BASHAR

バシャール　ペーパーバック①

JN233957

VOICE新書

※バシャール新書判は全八巻です。新書判①は、単行本第一巻「バシャール」の前半と同内容で、後半は②となります。単行本「バシャールⅡ」「バシャールⅢ」もそれぞれ二冊に分冊し、③～⑥となります。⑦⑧は新内容の新書判オリジナル編です。

〈目次〉

カバー・イラスト◎石井みき

「ワクワク」という人生の羅針盤、人生の馬車

この新書判バシャールの元となった単行本「バシャール」シリーズ全三巻（当新書シリーズでは全六巻。別途、新刊二巻、計全八巻）は、いわば生き方ガイドの古典的ベストセラーの新書化です。ダリル・アンカが来日して行ったチャネリング・セッションを忠実に記録してあります。チャネリングという言葉は、「現代用語の基礎知識」（自由国民社）にも、このバシャールの本が出て以降収録されるようになりました。コンシャス・チャネル（チャネルとしての意識がある）とトランス・チャネル（同、ない）の二種類あって、ダリル・アンカは完全なトランス・チャネル。本人は自分がバシャールの意識のときにしゃべったことは一切覚えていないといいます。こうした現象自体は社会的にはなかなか認められないのですが、話された内容はいたって素晴らしく、きわめて実践的で啓発的な「独特な世界の見方」を大量に含んでいます。最初の本が世に出たのが八七年の一二月ですから、もう随分たちました。しかし今もなお売れ続けているのは、そのアドバイスがユニークでしかも真理であったからにほかなりません。「あなたが今ワクワクすることをしなさい」「そうすれば、あなたがこの世に生まれてきた目的に、一番早く行き着きます」という考え方は、今もなお新鮮さを失っておらず、人生の永遠の正解であるかも知れません。その頃はこうした生き方と心理みたいな分野は今程一般的ではなく、

俗にいう精神世界の人々や、ニューエイジ（もう死語か）などの分野のバイブル的な本になりました。この本を読んで「ワクワク」の洗礼を受けて人生を方向転換した人が実に多く出たことが、そのインパクトの大きさを証明しています。実際の生身の人生に変化を与える、ということは大変なことです。ヘェー、そういう考えもあるのね、という程度だと、こうはならない。当時ありとあらゆる地上波テレビ局、女性誌、週刊誌、新聞各社、果てはロサンジェルス・タイムズまで取材に来ました。バシャールは本国のアメリカでより日本での方が受けたはずです。ダリル・アンカを招聘してのワークショップも当時さかんに行われ、時代に敏感な人々、役者さん、女優さん、作詞家さん、ミュージシャン、劇作家、絵描きさん、学者さん、漫画家さんなどなど本当にたくさんの方がいらっしゃいました。なにか当時の時代の空気へのアンチテーゼ的な部分もありましたし。ダリルのセッションは常にカリフォルニアの空のように乾いて明るく楽しいものでした。エンターテインメントとしても完成された形式をもっています。トランスに入ろうが話しているのが宇宙人であろうが、要はそこで話されているアドバイスが人生にちょっとでも役に立てばいいんです。主催している私達側はエササニ星の宇宙人、というのは当時からそんなに意識していなかった。宇宙人でも仙人でもメルロ・ポンティの霊でも、しゃべっている主体は誰でもよくて、それより話されている内容が、哲学であり、心理であり、人生の力学であり、意識のポイントの切り換えであり、世界の新しい見方であり、メチャクチャ面白かったから。

バシャールのワクワク誘導論にふれて、その時やっていたことをやめちゃった人も多かった。一番多かったのが、会社を辞めちゃった人。まあもちろん、必ずしもそういう意味で「ワクワクすることをしよう」と言っているわけじゃあないんだけれど、それでもそれを積極的な変化として喜ばれた人が多かった。「この本読んだら会社辞めちゃったじゃないか。どうしてくれる」と怒った人はいなかった。「ワクワクすること」へ人生の舵を切って船を大きくグググーッと旋回させたわけです。それらの方と十五年後の今お会いしたりすることもありますが、皆さんその新分野で成功されていらっしゃる方が多く、おお、やっぱり自分の好きなことをやると、力も出るし、成功する率も高いんだなあ、と感慨深い。芸術関係に進んで行った方、ビジネスで独立した方など、やはりご自分の中にある「なにものか」(ワクワクの源泉)を見たんだと思うんです。これをやっていると時間を忘れてしまうよなあ、いくらやってもぜんぜん疲れないよなあ、というようなことです。会社で仕事やったら三時間で疲れちゃうのに、自分の好きなことは一日メシも食わずにやってもまったく疲れない。それくらいこのワクワクには人間を強烈にドライブさせる力があります。参加者のどんな質問にもバシャールの答はいつも同じで、「ワクワクすることをしてください」ということになってしまうのですが、それはそれで正しいのかも知れません。つまり、ワクワクすることをしていると、自然に、本来その人が持っていた「魂の軌跡」みたいなものに近づいていく、と。これは、心理学的にもとても納得いきます。つまりワクワクする、というのは原語ではexcitingですが、それは激しく感情をゆさぶられるなにものかであって、それが人間を強烈にドライブさせる「人生の馬車」であるわけです。ワクワクの対象は時間がたつと変わっていくかも知れません。ひとりの人生を死の直前から逆方向に鳥瞰すると、不思議なことに、それらの「ワクワクの変遷」にはある一定の指向性、法則性があるような気がします（たぶん……）。ここいらへんは人生の不思議としかいいようがないですけれど。あのバブルの最後の盛り上がりの一時期にダリルが日本に来てこういうセッションをしたということが、私は面白いと思う。

喜多見龍一

I

1987年5月12日

ダリル・アンカ（チャネル以前の状態で）

チャネリングに入る前に、まずはバックグラウンドから話しましょう。

媒体（Medium）ということについてですが、媒体というのは生まれる前から同意をして、この人とこういう関係を持つということを決めて、その人の媒体になることだと私は理解しています。そしていろいろな人生の過程で、そういう約束をした、ということを思い出すような出来事を体験し、確信に達するということです。

十四年前に一週間に二度程、ロサンジェルスにスペースシップが来て、そこで私は初めてバシャールに会いました。スペースシップを見ることによって、私は潜在意識の中でそういう約束をしたということを思い出しました。

それらから、私は、いわゆる現象学（Phenomenologyドイツの哲学者フッサールが主張した考え方で、事象そのものの本質を直観で把握しようとする学問）のようなものに興味を持っていろいろ研究したり、勉強したりするようになりました。その後私は霊媒や、チャネラーに会う機会をもち、そのうちのひとりが私の先生になって教えようと申し出てくれたのです。

クラスの最中、エネルギーにとても敏感になっている時に、バシャールが私にコンタクトを取ってくれるようになりました。そして、コンタクトをしてすぐ、私が生まれる前からそういう約束をしてきたのだという記憶が戻ってきました。

その記憶の中で、夢の中で彼に会ったことや、生まれる前にそういった約束をしたということが全部蘇ってきたのです。

その時最初にいわれたことは、今でもその約束を果たすことに興味があったら、今がその時期だというふうに言われました。そしてその時、「はい」といったのが今から4年前で、その時以来4年間チャネリングをしています。


バシャールというのは、これは付けた名前で、本当は名前はありません。テレパシーで話す人達には、名前が必要ないそうです。私達が付けた名前です。私達は彼らに名前を付けなければ呼べないので、名前を選びたいということで、私にはアラブのバックグラウンドがあるので、アラブの名前から「バシャール」という名前を選びました。

彼の実際の名前ではないのですが、バシャールという名前がピッタリで、意味がいくつかあります。ひとつめが、指揮官（指令官）という意味です。二つ目が、存在という意味で、三つ目が、メッセンジャーという意味です。

私がバシャールとコンタクトを取った後に、このグループのエネルギーに合ったことを話し始めます。その後に「いかにしてあなたにご奉仕できますか」といいます。その時に質問してください。手を上げてもかまいませんし、バシャールといってくださっても結構です。

トランスにはいる時と出る時には、非常に深い眠りから出てくるようなものなので、静かにしてください（ダリルは呼吸をととのえ、トランス状態に入っていく）。

バシャール　みなさんこんばんは。いくつかのアイディアを交換することからこの会を始めたいと思います。

この世に偶然はありません。今日、今回ここにみなさんが会うということは、何度も前世で一緒になったことがあるということなのです。

このようなエネルギーがどういうエネルギーであるかということがとても重要です。ひとりひとりのエネルギーがこういう会では混ざり合って全体の、宇宙の、地上のエネルギーと交流し合います。

これは特別な方法でなされます。個人がひとつの方向に向かうようにひとつのエネルギーを向けると、宇宙空間の中に、ある種のエネルギーをチャネリングするようになります。そして、ここで作られたエネルギーが地上のすべてに行き渡るようになります。

みなさんがこの中で、ある種のアイディアとか考えを自分のものとすることができれば、他の人にとっても同様な考えや行動に近づくことができやすくなるということです（たとえば、ひとりがチャネリングを習得できれば、他の人もできるようになる）。


私達の文化に感謝して聞いてくれたその人達には、私達は最大の助けをすることができます。

少しずつ、少しずつ、あなたの意志があれば、あなた達の文化と私達の文化がもっともっと身近になることができます。

そして、あなたの文化と私達の文化が身近に交流するようなことが時間的にも近々来ると思います。

まず、あなた達が自分のパワーと栄光に目覚めることが第一です。

あなた達の中の、ひとりひとりの中にあるパワーに目覚めることです。

個人というのは、ひとりひとりが宝石の一面をなしているようなものです。

宝石の全体というのはすべての創造されたもののことです。

また、ひとりひとりというのは、ドアのようなもの、窓のようなもので、ひとりひとりを通して創造が実現化しています。あなた達がドアを広く拡げることによって、このエネルギーが自由にあなた達の中に入っていき、そして大きなインパクトを起こすことができます。できる限りドアを広く開けることを怖れないでください。

このドアを通り抜けることによって、自分自身にもっと近づいていきます。

そのような態度でいれば、何も得られないものはありません。

あなた達に感謝の意を表したいと思います。

創造の神聖なることを探りたいという意志に感謝したいと思います。

個人的にも、このように集団的にも、集まってくださったことに感謝いたします。

あなた方が自分の世界の大使として、そして私がこのように大使として、あなた達に会えることをとてもうれしいと思います。

あなた方の意識に、私が触れることができてうれしいです。

そのお返しとして、どのように奉仕できますか。

Q 1　地球の中に「内なる地球（Inner earth）」というのがありますか？

バシャール　あなた達の地救上のバイブレーションの周波数ではありません。物理的に入っていくような感じを持ちますけれど、自分のバイブレーションを変えて、別な次元に入ってしまうということです。生命の違った形、人間以外のそういった存在と出会うためには、自分自身のバイブレーションを変えないと会うことはできないということです。

地球の中にあるわけではない、という考えもあります。

その中に存在している文化圏というものは、あなた達の内にあるものを表現しているというわけです。それを発見するためには、自分の中に入っていかなければいけないわけで、シンボルとして地球の中に入っていくというような表現のしかたを取るわけです。ところが、地球の中という物理的な中のことをいっているわけではないのです。

それで答になりましたか。

Q 1　いくつも物理的な入口があるわけですね？

バシャール　はい、そうです。

Q1　中にいる生物がバイブレーションを変えて外に出て来ることはあるのですか?

バシャール　はい、そういうこともあります。

Q1　あなた達のような船に乗って出て来るのですか?

バシャール　そういうこともあります。
いわゆるUFOに乗っているのは、ただ単に、異星人というような存在だけではないわけです。
地球の中から出て来るそういう存在もあります。
過去から出て来るUFOもあります。あなた方自身の地球の未来から出て来るUFOもあります。
そういう意味では、未来からここに訪れて来るスペースシップの人達というのは、実はあなた達の未来の姿でもあるのです。

又は、別な世界から来る人達もいます。まったくこの宇宙とは違った別な宇宙の存在のＵＦＯもあります。これで答になりましたか？

Q 1　ありがとう！

Q 2　バシャール！　過去から来たり、未来から来たりということは、文化的に進んだものとか、文化的に遅れているところから来るという意味ですか？

バシャール　過去にも非常に高い文化を持っていたところもありました。アトランティスが破壊される前にスペースシップに乗って逃れた人が多かったのです。

Q 2　なぜ、アトランティスは破壊されたのですか？

バシャール　混乱とか、否定的なエネルギーが充満してしまったからです。創造主との関係を忘れてしまったからです。

クリスタルに関係するいろいろな計画のためです。

光をエネルギーに直接変えることができるクリスタルがあったのです。バイブレーションを調節することによって、いい方向にも使えたし、破壊的にも使えました。クリスタルの中には武器として使われたものもありました。否定的なバイブレーションに波長を合わせることによって武器になりました。

地球との同調波を出すことができたわけです。それによって火山に何か影響を与え、アトランティスを破壊に導いたのです。

アトランティスの破壊が、聖書などにある洪水、ノアの洪水と呼ばれるもののことです。

Q 2 セント・ジャーメイン（サンジェルマンともいう）をチャネリングするリアバイヤースから、クリスタルを買ったのですが、あなたのことを聞いたら、かなり的確な情報を与える人だといっていました。

バシャール あなた方に奉仕するために、そういう意識というのが、今働いています。

Q　2　私達に今言いたいことは何ですか？　また、私達に何をして欲しいのですか？

バシャール　自分が一番興奮して、「楽しい」と思えるようなことを実際にすることができるということを学ぶことです。

自分が創りたい方向に人生を創ることができるというパワーを、個人が持っているということです。私達のことは必要ないんだということを、私達はあなた方に教えたいのです。

パワーをあなた方にお返しするためにやってきました。

何千年もあなた方は自分のパワーを恐れていました。自分のパワーを使ったら、また破壊に導いてしまうのではないか、というふうに。

実際に過去にはそういったことがあったのですが、また同じことが起こるのではないかということを怖れ、そして自分のパワーを怖れています。

自分が創造の一部であるということを知ることと、自分の光に目覚めることによって、もう破壊的にパワーを使うことはないということがわかります。

ですから、破壊的には使われません。

こういう格言が地球にはあります。

「絶対的なパワーというのは、絶対的に堕落する」。そういう観念を持っていない限り、パワーを持っても堕落するということはありません。私がここに来ている理由のひとつは、あなた方が持っている、自分の中にすでにある先入観念をあなた方に知ってもらいたいということです。自分の信じることが自分の人生を作り出しているということを、百パーセント申し上げたいと思います。

恐れを信じる人は、自分の人生も恐れに満ちたものになります。

愛と光だけを信じる人は、人生の中で愛と光しか体験しません。

私は哲学の話をしているのではありません。創造の基本的なメカニズムの話をしているのです。

自分が体験する物理的な現象というのは、あなたが何を信じるかによって決まります。というのは、物理的な現実というのは幻想だからです。あなたが信じていることが創り出した幻想なのです。

幻想というのは、あなたがその中にいるうちは現実です。

幻想の中にいるうちは、それはれっきとした現実なのです。

幻想の中にいる間は、確固とした現実だということを教えられていますから、あなたはそれが現実だと信じているわけです。

つまり、あなた方のパワーは非常に強いものなので、少しでも信じると、現実化してしまいます。あなた方は、創造主のイメージに基づいて創られているからです。ということは、あなた方自身が創造主であるということです。

あなた方個人、あるいは集団で考える想念が現実をつくってきました。それをあなた方に思い出していただきたくて私達はこの世にやってきました。

もうあなた方の心の中で、すでに真実だと知っているものの鏡となるために私達はやってきました。

今まで聞いたことがないように思うかも知れません。あるいは今まで思ったこともないような考え方を使うかも知れません。しかし、あなた方が本質的に知らないことは何も話していないのです。あなた達の文化の中では、それぞれ意識の隔離というのをお互いの間で作ってきました。日常の意識と、その下の潜在意識というもの、またその下には無意識というのがありますが、この三つの意識のレベルというのも幻想なのです。

ひとつの意識しかありません。

そして、ひとつだけの意識を持った存在に目覚める時、自分の中にある無意識、潜在意識の中に出て来るものを隠して見えないようにすることができなくなります。つまり、潜在意識や無意識の中で押し殺しているものを実際に見ても、あなた方の価値観というものは減らないということです。このことに気づけば、今まであなた方が何千年も確固とした現実だと信じていたことが、実は夢だったということに気づきます。

今、あなた方はこの夢から覚醒しているところです。夢の中で、自分の好きな夢を見て生きることができるようになります。見たくない夢を見るのではなく、見たい夢を見ながらこの生を生きることができます。これで質問の答になりましたか。

Q2　わかりますが・・・。でも、あなたは一度マスターであって、体がなくなってマスターになったと聞いていますが・・・。

バシャール　今まであったもののすべては今あります。時間も幻想です。過去世だの、来世だのは、今、現実に存在しています。

振動の違いによって、差ができます。

でもこの人生にフォーカスすれば、そういったことに関係なく、この現実の社会の自分にフォーカスすれば、必要なものがすべて現在から得られます。

つまり、過去も未来も現在にあるからです。

Q 2 どうやったら思い出せるのですか？

バシャール 今生きているところに、生きるということから始めてください。現在に生きることとです。これは大切なことです。

過去や未来に生きようとすると、今必要な情報を見つけようと思っても、今現在、ここにいないということになりますので、手に入りません。

一番必要なことは何かということを思い出すためには、百パーセント信頼することです。今現在やっていることを信頼することです。

過去やっていたどのことに比べても、今やっていることが一番有効です。

そしてパワーのすべてを今持っている、ということを信頼するのです。

今、生きているその人生を愉快にすることは今できます。

現在の生活を充分に生きるために、過去からの情報が必要な時には、必要な情報は過去から自動的にやってきます。

なぜならば、宇宙のあらゆることが、あらゆることとつながっているからです。


今のあなたが充分に今のあなたであれば、宇宙から必要なものは全部その時のあなたに与えられます。情報も、状況も、人との付き合いも、物質、何でもすべてのものが、今あなたに与えられます。

自動的に、努力なしで、がんばることなしに、すぐに・・・。

重要なことは「信頼する」ことです。

もちろんあなた方が、過去世を知りたいとか、研究したいという時、それをしてはいけないとはいいませんが、でもあなた達をよく観察していると、そういったことを知らないと現在を生きようとしないようです。

宇宙は無意味なことはしません。宇宙をそのまま信頼してあげて、今の生活をそのまま続けていれば、この生活に必要なものはすべて、必要な時に知ることができます。

一瞬後に情報がくることもありますが、必要な時、まさにその時に答がきます。

情報が来る時は本当に必要なその時にやってくるのです。

タイミングは完璧にできています。

それを早くすることができないということではありません。でも、必要なものが、早く来るようにする方法は、今現在に生きることです。どこにいようとも、いつどこにいようとも、現在しかありません。

今に生きれば、すべての情報があなたを求めて向こうからやってきます。

その知識が過去世から来るならば、過去世のものであるという情報を得ることになります。将来のあなたの生命から、今のあなたに情報が来ることもあります。

過去世と現世と来世からの情報が今のあなたに来ることがあります。ですから、過去世だけから必要な知識が来ると思ってはいけません。

パラレルライフ（バシャールの独特の概念で、同時進行の多次元人生のこと）のあなたが、別な所で同時に生きているという概念があるのですが、ちょっと説明させてください。

パラレルというのは、平行線ということですがいろいろな意味があります。

ひとつの意味としてこういうことがあります。つまり、あなたが今ここに生きているのと同時に、別の宇宙で同時にあなたの生が進行しているのです。

いわば、あなたがやっていることとほんのちょっと違うことを、別な所で同時にやっているのです。この宇宙とほんのちょっと違う宇宙がいろいろあって、ちょっと違うことを同時にいろいろやっています。


また、あなた方というのは、あなたの人生のすべてが違うことを同時にいろいろな所でやっているのです。

あなた方の人生がひとつの意識となっている、そういう状態を「オーバーソウル」というのですが、手に指が何本もあるように、オーバーソウルが、現実にいくつもの手を伸ばしています。

あなたが出てきているオーバーソウルは同時に、別の所で同じようなことをしているわけです。

よく「ツインソウル」という言葉が使われますけれど、これの説明にもなると思います。

物理的な現象ではない、ひとつの魂から出ている二つの魂という意味です。

私がいっていることをイメージとして描けますか。それとももっと具体的に説明して欲しいですか。


ちょっとイメージしてみてください。

あなたは肉体のない、エネルギーのボールです。

自分のことを意識しています。

それでは、地球を見下ろしてください。

ここで、あなたはこの宇宙とは違うバイブレーションの中に生きているために、今見える地球だけではなくて、今まであった地球のすべて、それから、これからもあるであろう地球のすべてが見えるとします。写真のフィルムのように。

そして、あなたのオーバーソウルが、自分はこの写真のフレームの1と5と7に生きようと決めます。ですから、フレームの5に住んでいる人は、フレーム1のことを、あれは過去世だと思っています。フレーム5に住んでいる人はフレーム7のことを、あれは、来世だと思っています。

ところが、オーバーソウルから全部を見ると、1も5も7も全部同時に起こっているのです。同時進行しているのです。

オーバーソウルというのは、このフレーム5の中のひとつの人生だけでなく、7つの人生を同時に生きることを選ぶこともできます。

この地上にいる個人というのは、全部あなたの一部分であるわけです。

あなた方全員に対して、これがあてはまります。

2つあるいは三つのカウンターパート（片割れ）を持っている人もいます。百あるいは千ある場合もあります。高いレベルになると、あるグループ全体が魂の一部に含まれる、というところまでいくわけです。

あなたも、私も、全部宇宙の魂の一部だからです。

これで充分な説明になりましたか。

Q3　ソウルメイト（魂のきょうだいという概念）について説明してくださいますか。

バシャール　同じ魂の延長であるということが、ソウルメイトということです。

ソウルメイトというのは、自分の人生の適切な時に出会います。

自分が見る必要があるその時に、見る必要のあるものを反映して見せてくれる人がソウルメイトです。

そういう意味では、あなたが交流を持つすべての人がソウルメイトであるということがいえます。
つまり、あなたの人生の中で現れる人はすべて偶然ではなく現れるのです。

でも、いわゆるソウルメイトとみなさんがいっている意味は、私にはわかります。自分自身が完全であることを知るために、自分のソウルメイトというのが現れます。あなた達の社会を観察していると、自分のソウルメイトに会えたら、私の人生は楽しいものになるのに・・というのを観察することができます（笑）。ところが、自分が完全になるためにソウルメイトが必要だと思っている人は、ソウルメイトなしでは自分は不完全であると思っているわけですから、自分が不完全であるということを見せてくれるような人を自分の人生に引き合わせます。自分自身で完全な存在であるということを知った時に、自分は完璧な人であるということを反映してくれるソウルメイトが現れます。

Q4

先程のパラレルワールドの考え方からすると、カルマの積み重ねということがよくわからなくなってしまうのですが・・・。

バシャール　まず、第一にすべてのカルマは自分で勝手に創っているものです。

「すべてを選ぶのはあなただ」ということを忘れないでください。

すべてのカルマも、あなたが選んだものです。

カルマとは、「バランス」のことです。

自分が捕らわれの身になるというのではなく、カルマをバランスするということが大切です。

こういうことをしたから、こういう報復が返ってくるという意味では必ずしもありません。

カルマというのは単に「調整されなくてはいけない動的な力」という意味です。

バランスを取る方法はいろいろとあります。

ひとつの人生の中で自分がネガティブ（否定的）なことをすれば、次の生ではまったく同じことが起きなくてはならないという考えの人がいますが、あなた方にとって、いままでは確かにそういうことが真実でしたけれど、そうである必要はありません。

たとえば、ひとつの生の中で殺人をします。次の生で殺されることになったとします。しかし、別な方法でこのカルマのエネルギーのバランスをとることができます。

たとえば、ひとつの生の中で人を殺したとします。次の生で殺される必要はありません。また殺人を犯そうとする人を助けて、その人が殺人をしないように防ぐこともできます。そうすると同じバランスが作られます。

カルマというのは、単にあなたの存在すべてが結合した体験なのです。

自分の周波数を変えるためには、そして自分を高い存在にさせて進化させるには、すべての体験のバランスを取る必要があります。

このカルマというのは、あなたの鎖となるようなものでは決してありません。

逆説的なのですが、真実はこのようなものです。

自分が体験している真実というものすべては「自分が創り出している」ということに気がつけば、もうカルマ的な結びつきという考えを信じる必要がないわけです。

自分が選ぶ、あるいは選ばない自由があるということに気づくと、それがあなたのカルマを切ることにもつながります。

つまりそういう自由があるということに気づく時、否定的な行動をする必要が何もなくなるわけです。

否定的な行動をする人達というのは、自分は自由ではないと信じている人達です。

否定的な行動というのは、「パワーがない行動」なのです。

否定的な行動をする個人というのは、自分の現実を自分が創り出しているということを知らない人達です。すでに自分が人生をコントロールしていて、欲しいものを何でも創り出しているということに気づいていません。

他人を傷つけることなく自分を傷つけることなく、自分が欲しいもの、必要としているものをすべて自分が創り出せる、ということを知らない人達です。

ところが、心の奥深くでは自分の持っている力というものに気づいています。

残念ながらこの地球上での教えは、そういうものを表現することを抑圧してきました。自分の中にコントロールするパワーが存在するということを知らないために、自分以外のことや、自分以外の人をコントロールします。

よく自分の意見を人に押しつける人がいますけれども、自分でもいっていることを信じていないので、人を説得しなくてはいけません。

彼らは、自分でパワーがないと信じている人達です。ところが自分のまわりには、自分をコントロールしようとしている人がいるように思えるのです。そして、それに対して怒るのです。そのために、怒りと怨みつらみでもっとまわりの人に攻撃します。

できる限り人から奪おうという思想しか持っていないからです。自分にパワーがないと信じることは、自分が死んでいきつつあるということを信じているということです。自分にパワーがない時、人にもパワーを持っていないことを望みます。あなたが地上の人に教える時は、「ひとりひとりが、すべてのパワーを持っている」ということを教えてください。他人も自分も傷つけることなく、必要なものを全部創造できるということです。ひとりひとり自分の欲しいものは全部創ることができます。それにより、ネガティブなもの、カルマ的なものも切れてしまいます。

Q 5 ネガティブな行動とはどのようなことですか。定義してください。

バシャール ネガティブな行動とは、「分離してしまう行動」です。部分部分にしてしまうような行動をいいます。

ポジティブ（肯定的）な行動とは、「統合する行動」です。統合する、統一する、そういう行動です。

ポジティブエネルギー、ネガティブエネルギーという言葉を使います。

正しいとか間違っているとか、邪悪であるという言葉ではなくて。いいとか、悪いとかいうのは主観的な価値判断だからです。どのようなエネルギーが使われているかで、言い表します。たとえば、ポジティブなことをしている個人が悪いことをしていると考えるかも知れません。あるいはネガティブな行動をしている人が正しいことをしていると思うかも知れません。正しいとか悪いとかいうことは、ネガティブなエネルギーを使っているか、ポジティブなエネルギーを使っているかの説明にはなりません。ネガティブというのはいつも隔離して、分離して、部分部分に分かれてしまう行動のことです。

それはパワーを取り除いてしまうことです。

ポジティブというのはパワーをひとつに集めること、統合すること、そういう創造的なエネルギーをひとつにすることです。

それで説明になりますか。

Q5　ありがとう！

Q 6 陰と陽というのはただいいとか悪いとかではなくて、それをバランスするということが重要なことではないでしょうか。いいとか悪いとか、社会的に悪用していることが多いのですが、いい意味で説明してください。

バシャール そうです。すべてはエネルギーなのです。いい、悪いではなくひとつの動的な力として使われるわけです。

統一性を持って行動することができます。また、その反対もできます。

でも、究極的にいいとか悪いとかいうことではありません。

実直さ、正直さ、統一性なしに行動すると、川の流れに向かって行かなければならない、という簡単なことです。

いいとか悪いとかいうのではなく、片方は簡単だし、片方は難しい。

すべての人が永遠の生命を持っているわけですから、どちら側に行くかはあなた次第です。あなたはどちらかを選びます。

それはあなたの人生の中でどのようなエネルギーを使うのかということと同様に、ひとつの問題です。あなたの出したものがあなたの受けとるものです。

それがただひとつのカルマ的な法則です。与えたものを受ける。

前にやったことで、もうやりたくないということがあったなら、ただ単に気づくこと、もうネガティブなことをしたくないと気づくこと、ポジティブなことだけをすること、それに気づくだけでカルマの鎖を切ることができます。いわゆるカルマの鎖というのは、自分が作り出したエネルギーの結果なのですから。

自分が決断すればそれを変えることができます。

たとえば何世代にもわたってネガティブな生を受けてきた人達は、正直に何度も何度も生きてきた人達のように、ひとつの、一回の生の中でネガティブなものが結果として何を生み出しているのかということに気づき、その時点から気づいてポジティブなエネルギーの方を選べば、ただひとつの決断をしただけですべての過去のカルマを消すことができます。

それをやって自分がそれを得るに値すると思えれば、自分が創造主であるということに気づいて、ひとつの決断をすることができます。それで終わりです。ネガティブな方法で人に対するのではなく、ポジティブなやり方で人に奉仕するという考えがあれば。

Q7 パラレルワールドに関することと思いますが、個性というものについてです。

どんどん魂が統合されていきひとつになったとすると、個性やバリエーションといった、そういう楽しみはどうなりますか?

バシャール

ちょっと逆説的なのですが、こうです。

あなたは何次元にもわたる創造主であるために、あなたがあらゆる個人であるわけですから、あちらからみて統合が起こってくるように見えます。

わかりますか?

すべての個人というのは、全体の部分なのですが、あなたと他の人達それぞれが統合されていきます。自分に統合が起こってくるというように見えるわけです。

ですから、うわべだけでは、個性が保たれているように見えます。

これは地球語で訳すとなかなか理解できないと思いますが・・・(個人という視点からみれば、個性が失われていくように見えるが、実は、「個人の集合体としての魂」の次元からみれば、統合されるに従って逆に個性は増えていく、という意味か。私達自身は、すでに魂の枝葉であるわけで、その立場に立てば、統合されるに従って、ますます個性のバリエーションは増えていく)。

別にわからないといって軽蔑しているわけではありませんが。

でも私達の今しゃべっていることは、物理的な現実上のことをいっているわけです。数次元にもわたる創造主というのは、自分が全部であるというアイデンティティをもつことができます。

また自分が今までアイデンティティを持ったすべてのものであるということがわかります。

そして自分がその中のひとつであって、全体がまたアイデンティティであるということもわかります。

マルチレベルの創造主であることは、それぞれ全部を同時に体験することができるということです。すべての創造されたものは、創造を逆にされることはありません。ちょっと逆に見えるかも知れませんが、ブレンディッドソウル（混合された魂）というのは、ひとつのアイデンティティであると同時に、全体の一部のアイデンティティであるということです。わかりましたか？

Q 7

私の理解ではたぶん、ひとつになるといろいろな今まで統合してきた個性を自由に遊べるようになるということですか？

バシャール　どちらにしても今、あなたはやっています。今のあなた、この「個人」はあなたの見方のひとつです。自分の魂へたどりつくためのひとつの窓、ドアがあなたなのです。そういう意味で、今のあなたはこういう考えを遊んでいます。他の考え方も同時にあなたは遊んでいます。

意識が統一、進化することを話す時に気づいて欲しいのは、現在の自分の物理的な生存によって制限されている、ということです。混ざった時にでも、自分がこれだというふうに体験することができます。混ざるというのは、今あなた方はすべてちゃんとうまく混ざっているからです。混ざっていることをあなたはいってますけれど、あなたはこの中の別な部分に遠景を映しています（自分を投影しているという意味か）。宇宙語を翻訳するのは非常に難しいのですが、これでいいでしょうか。

今、自分自身であれば、後で何が起こるかお楽しみに。その時が来たら、何をすればよいのかわかります。単純にしてください。人生はとても簡単なのです。

Q8　夢について、体外離脱についてですが。
私は先日、体外離脱の経験をしたのです。そこは私の部屋だったのですが、起きても自分はこれは夢だというのがわかっていました。実際の自分の部屋は汚れていてあまりきれいではなかったのですが、その時はとてもきれいでした。そこには私の持っていないぬいぐるみがあったのですが。

バシャール　夢の現実というのは、実際の物質的な世界のブループリント（青写真）だということです。

自分の夢のブループリントを変えてあげるだけで、現実の世界が変わります。いろんな可能性のあるブループリントがあります。ですから、あなたはオーバーラップを見ていたわけです。

可能性の部分と、現実の部分と、ひとつの可能性のオーバーラップを見ていたわけです。

ですからなぜこのような体験をしたかというと、それは、次のことを学ぶためです。夢のブループリントをいかに現実に変えるかということを学ぶためです。

そして、現実の世界を溶かして、元のブループリントに戻してあげるということです。あなた方は、夢の世界と現実の世界の境界線のところの体験をこれから多くします。

夢と、現実の分離というのは一見あるようにみえますけれど、これもまた幻想です。今、この瞬間あなたは夢を見ているのです。

夢の現実こそが、現実なのです。

あなた方は今、目覚めようとしています。

今、あなたは夢の中に住んでいます。それはすなわち、夢を好きな方法で見たい夢に変えることができるということです。

夢がもっと流動的になるにつれ、あなたの物理的な世界ももっと流動的になります。そういう意味では、夢の中の方がこの現実よりももっと目覚めている状態に近いともいえます。

この現実の世界ではもっと眠っている度合いが深いのです。

というのは、この物理的な世界というのは非常に圧力のかかった夢（フォーカス度の高い夢）なのです。

夢の中ではもっと夢を変えることができると思っています。好きな時に好きな所に行くことができます。そして瞬時に行きたい所に行けます。それが自然な現実なのです。時間の中で起こることが、夢なのであり、制限されているという感じ、これが夢なのです。「制限はまったくないのだ」ということが、私の言葉でいえばもっと真実に近いです。
「あなたは創造主の反映である」ということです。

Q 8　夢を見ている時、自分の部屋にあるべきでないはずのぬいぐるみが見えたのですが、ぬいぐるみを触ってみたらその感触もあるのですが、どういうことでしょうか。

バシャール　どんな動物でしたか?

Q 8　それは犬と熊の間のようなものでした。

バシャール　犬は奉仕ということのシンボルです。そして熊は力を表します。あなたがもっと力をもって奉仕に使うことを象徴しています。ぬいぐるみの中にもっと生命があるということです。

Q 9 私はよく夢を見るのです。この間、人を殺した夢を見たのですが、起きた時に非常に現実だったら困ると思いましたし、すごく罪悪感に浸ってしまったことがあったのですが・・・。ですから、時々夢か現実かわからなくなる時があるのです。

バシャール まずはじめにあまり自分自身に厳しくしないでください。自分のことをいじめないでください。わかりますか？

Q 9 自分が夢の中でどこかに行ってしまったりとか、日本人でここにいますが、夢のなかでは日本人ではないのです。どこかアメリカに行ってしまったり、イギリスに行ってしまったり、フランスに行ってしまったりとか、昔に戻ったりよくするのです。これから起こることを夢に見たり・・・。

バシャール すべてのものが混ざっている変化の時期を迎えています。すべてのあらゆる面を今ひとつに集めているところです。ですから、頭が混乱しているのは単なる象徴なのです。

自分をいじめないでください。あなたは、そんなに人にいじめられたりする人ではありません。

Q10 私達地球上の人間とコンタクトを持つことは、あなた達にとってどういう意味があるのですか。

バシャール とても喜びをもたらしてくれます。信じられますか？　私達に喜びを与えてくれているということが。

あなた達と交流することによって私達の愛を表現させてもらっています。

そして、あなた方を通して、創造主が別な形で表現しているということがわかります。私達が思った以外のやり方で、創造主がこのような表現をしているということを学ぶことができます。

その交流を通して、あなた達のものを私が得ることができますし、私のエネルギーを与えることができます。それによって、もっと宇宙の探検ができます。他の宇宙の部分に比べてこの地球というものは、非常にフォーカス度が高いところなのです（非常に集中した、圧力のかかった、物質的な、という意味）。別に軽蔑的なことではなくて、この地球人は「制限のマスター」（制限の帝王というくらいの意味）と呼ばれています。

非常に創造的に、あなた達は自分を制限しています。（バシャールは、ちょっと皮肉なを含ませて「創造的に」といっている）。

そこから、我々はあなた達のやっていることを学んで、他の宇宙でのトランスフォメーション（変革）を助けるときに役立てています。

トランスフォーメーションというのはそう簡単には起こりません。

非常にあなた方はこの地球上でフォーカスしてきました。

自分を変えようという気持ちが出てきた時には、あなたはすごいエネルギーを使って、あたかも宇宙に波が拡がるように創造できます。

そういう、すごい力をあなた方は持っています。

ですから、私があなたにあげようとしている愛を全部受け取る価値があるということを認めてください。

私達の愛というのは無条件であなた達のところに与えられます。

無制限に愛を与えています。

あなた方は贈り物です。それで答になりましたか。

Q　10　私達は輪ゴムでいえば、どれくらいのところにいますか？　手放すところにきていますか？（輪ゴムを指の間に挟み、後ろに引っ張って飛ばすときに、どのくらいのところまで引っ張られているかという質問）

バシャール　今、放すところにきています。あと三十年くらいの間に、だいたい全員の人が放します。ポジティブな方向に。
今、このエネルギーを感じてそう思いました。

Q　10　たとえば核がどうとか、エイズがどうとか、今これらの状況は緊張を表現しているのですか？

バシャール　今まで何千年もしまいこんでいたものを、外に出しているだけです。
しかし、外に出してから初めて、認めて対処することができるのです。もう恐れて隠している必要がないのです。そしてすべてのシステムをきれいにすることができます。

Q10 恐れの方に私達は入って行きやすいというのを私も見ています。どういうふうにしたらよいのでしょうか。

バシャール あなた方が観察しているものすべては、あなた方の観念の上に成り立っているということです。

子供の時からあなた方の中にはそれが深く滲《し》み込んでいます。

何千年にもわたって、あなた方にはそういった観念が社会全体の集団意識の中に組み込まれています。

つまり、「真実に直面するよりは、恐れていたほうが楽だ」とあなた方は信じているわけです。その観念を変えれば、あなた方がどういうものを見ているかにかかわらず、あなたが今見ているものは変わります。

地球ではこういう格言があります。「見ることは信じること」。

しかし実は「信じることは見ること」であり、逆なのです。

感情はすべて、まず信じることから起きてきます。

自分が真実だと信じるものに対する反応が感情なのです。

（たとえば、自分が彼はこう反応するだろうと信じていた反応を、相手がしなか

った場合、こちらが「怒り」という感情をもったりする）

そしてすべての怖れは、深いところからくる先入観念によります。

怖れの方が喜びよりも簡単だと信じているからです。

そしてこの社会においては、自分は喜びを感じるに値すると思っている人達は少ないからです。

まず努力をして、がんばってからでないとそういう成果は得られないと信じているからです。

あなた方の社会では、喜びというのは勝ち取らなければならないと思っていますけれど、本当は生まれた時の権利として、ずっと喜び、楽しんで過ごすことができるのです。

さもないと非常にくたびれてしまいます。

努力して、苦労した後にエクスタシーを得るようでしたら、これは非常にくたびれてしまいます。くたびれた時にはすぐ「恐れ」に走ってしまいます。

もっと努力しなければいけない、それでもっとくたびれてしまうということを恐れてしまいます。

誰も努力する必要はありません。

今、あなたが想像できるすべてのものを、今すぐに手に入れることができます。あなたが想像できることはすでに手に入れたも同然なのです。

あなたが想像するということは、私はこちらの方を選ぶと決めることなのです。その能力があるということは、すでにあなたがそれに値するということです。さもなければ、あなたはそれを見ることも行動することもできないのです。

人に教える時は、ワクワクするとか、想像ができるということは、すでに自分が想像しているものにその人が値しているということだと教えてください。

自分が欲しいものを、苦労して、一生懸命努力して手に入れる必要はありません。それがわかれば、イライラすることも、恐れをいだくこともありません。疲れることもありません。

Q 11 地球の変革が起こるということをだいぶ聞いていますが、そのことについて説明してください。

バシャール 簡単にいっておきます。確かにあなた方は変革の時期を迎えています。
地球上のエネルギーに変革が起きます。

電磁の波動が変わり、そのためにエネルギーが地球上の物理的な変革を起こすかも知れません。

でも、変化というのは必ずしも破壊的である必要はありません。

あなたがエクスタシーを体験することに価値があるということを自分で信じれば、そして自分がエクスタシーを感じるに値すると信じられれば、わざわざ自分を震え上がらせて目覚めさせる必要はありません。

エネルギーをもっと別なやり方で変革させることができます。

日本ですら、最も破壊的な方法でこの変革を体験しなければいけないと思っている人がいます。

もう、すでに眠っている状態で歩いているのではないということを知れば、破壊が起こったとしても、あなたはそこには行きません。

個人のなかで多くの人が目を開けて歩くということを始めれば、自分がこういうふうにで生きたいと望んだ通りの生き方をする人達が多くなれば、その地域全体の人が同じような体験をすることで、破壊的な変革の起こる必要がなくなります。

それはただ単に物理的メカニズムです。

あなたの持っているバイブレーション、それがあなたの人生で体験していることです。破壊の起こっている最中でもあなたは立っていることができます。

あなたのまわりにそういうことが起こっていても、あなたがそのバイブレーションと同じものを発していなければ、その破壊はあなたに手を出すことができません。

こういう体験もポジティブに見るかネガティブに見るかで、ひとりひとりがその体験をどういう結果にするかを決めることができます。

破壊的な力への恐れが、破壊的な力を強化しています。

そして、ネガティブなものを自分の人生に引き込んでしまうことになります。

ですから、天変地異というようなものがまわりに起こったとしても、それはその地域の人が他の変革が可能であるということを信じることができなかったということを意味しているだけです。

何年も前にこういうことが起こるであろうといわれていたことは、今はもう起こらないようになっています。

つまり、多くの人が目覚めつつあるために、昔こういうことが起こるのではないだろうかと思われたことが、起こらないような状況になってきているのです。

あなたの世界を救う最善の手段は、自分がワクワクして生きられる人生を生きることです‼

そのような人生を生きることによって、百パーセント宇宙があなたの望む方法でサポートしてくれるということを信頼することです。それが物質的な豊かさであろうと、あるいはあなたが今しているような、ワクワクした人生を続けて行くということであろうと、実は同じことなのですが、宇宙はあなたに必要なものをすべて与えてくれます。

もし、何か人生の中で足りないなと思うものがあっても、それは、宇宙があなたをサポートしていないということではありません。

宇宙というのは、自分がサポートされたい、と思っている分だけしかあなたをサポートすることができません。自分がどれだけサポートされる価値があるかという、その限りにおいてしかサポートすることができません。

あなたがもっとそれに値する人間であるということを知ることが、今とても大切なことです。

あなたが自分のことを信じようと信じまいと私達はあなたのことを信じます。

でも私達があなた達のことを信じても、あなた達の世界を変えることはできません。

自分自身を信じなければなりません。

そして行動も、自分のことを信じているというように振る舞わなければなりません。

その二つのコンビネーションを持っていると、何者も止めることができません。

自分が信じた行動をするように。

宇宙はあなたを永遠にサポートし続けます。

今、宇宙はあなたをサポートしています。

いつもサポートしてきました。そして、これからもあなたをサポートし続けます。

永遠に。

あまり時間が残っていませんが、一番最後のシェアリングがありましたらどうぞ。

Q 12

日本は第二次世界大戦で核の被害にあいましたが、もうこのようなことが起こる必要がない、という考え方を説明してくださいますか。

バシャール

これから話そうとしていることは、ひとつの理由のためです。

核兵器を通してこの文化を破壊しないということは、もうみなさん決めたようです。

あなた達の無意識を読んで、そう思いました。

今、地球上でいろいろな暴力が現れていますけれど、それは今まで隠していたものを出しても大丈夫であるという気持ちがでてきたからです。

もう、あなた方は自分達を破壊しないということを決めました。

そのために次のことを私達はシェアすることができます。

地球はあなた方の惑星です。あなた方がやりたいことをやってもかまいません。

もし、望めば自分自身を破壊することもできます。自分の裏庭にある限りはそういうふうに破壊してもいいというように思っていました。

ところが、核というのはあなたのバイブレーションの中の次元にとどまりません。

この核兵器によって引き起こされるパワーというのは、パラレルワールドの基本的な所まで影響を与えます。

昔、このシステムが一度壊されたことがあります。

木星と火星の間に昔はマルデックという星がありましたが、破壊されてしまい、今はその間に散らばっています。その空間にアストロイドベルトというのが存在しているのですが、昔、一度そういった破壊があったので、もうそのように破壊されることはないのです。

もう核兵器によって自分達を破壊するようなことはないと決めているので、このような組織の宇宙から来ている人達も、あなた方に破壊することを許しません。

もし、世界の政府が核のボタンを押そうとしても、それはうまくいきません。

というのはあなた方の政府の高官というのは、私達の存在をもう知っているからです。政府の高官が私達の存在をずっと知っていたということが、大衆に知られるようになります。

もし、あなた達が自分達を破壊すると決めているようでしたら、今、あなた方に、このように話すということはありませんでした。

今、わたしがあなた方と話せるということは、私達のバイブレーションがあなた方の思う以上に近いということなのです。

私達はあなた達を低い存在であるというようには見ていません。

強い存在ですし、あなた達はもうほんの少しのところです。

という理由で、あなた達とコミュニケーションを取って、あなた達の新しい誕生のお手伝いをしたいと思っています。

そして、宇宙の組織に加わっていただきたいと思っています。

三十年後には、あなた達の世界と私達の世界がもっと自由に交流できると思います。

ですから、お祝いしたいと思います。

今日から始まって、もっとあなた達は夢の中での門を通って、いろいろな体験をするようになるでしょう。

あなた方と行っている、このような交流というものをもっと地球上のあらゆるところで行うようになるでしょう。


パワーの道を歩いてくださり、どうもありがとう。

生まれてきたあなた方には権利があります。パワーを持つ価値があなた方にはあります。


今日このように私達と交流をもってくださって本当にありがとう。

夢、そしてこの現実の世界における夢でも、非常に興奮に満ちあふれた夢をみなさんが見ることができますようお祈りいたします。

またすぐにこのような形の交流を図りたいと思います。

それでは、愛を込めてお別れさせていただきます。

2

1987年5月14日

ダリル　私が理解しているところでは、チャネリングをする人というのは、生まれる前にどこかで同意をしてきてから生まれてきます。そして、生まれてからどこかの時点で同意したことを思い出します。

ロサンジェルスで十四年程前にバシャールの乗った宇宙船が自分の目の前にやってきました。以前はわからなかったのですが、今、わかっていることは、自分の潜在意識の中で、そういう同意をしたということを思い出させるための最初のコンタクトだったんです。

それ以来いわゆるニューエイジ的なものに興味を持ち始めて、本を読んだり何人かのチャネルに出会ったりしました。そして、その中のひとりのチャネルがチャネルをしたい人には教える、ということで始めました。

別に自分はチャネリングをやりたかっただわけではないんですが、練習をしている時にバシャールとその同胞達の意識が、自分の中に入ってきたんです。

その時に、以前に自分がした同意のこと、なぜ彼が自分の前に現れたかなどを思い出しました。自分がバシャールをチャネリングするためにそういうことが必要だったんです。そしてテレパシーを通して、その同意を今も遂行したいのかどうか、現在もチャネリングを自分で本当に続けたいのかどうかを、自分で決めなさいということでした。それが四年前です。

ただみなさんは、これから起こることを、そして彼が本当に宇宙人であるということを、信じて聞く必要はありません。

別に彼らは、地球人のために人生を良くしてあげようと思っているわけではないのです。ただ、この地上でみんながもっと暮らしやすくなれば、と思って情報を提供しているだけです。

バシャールをチャネリングする時、自分の意識はどちらかというとちょっと散漫になって、そこへバシャールの意識が入って来ます。

彼はテレパシーでやってきます。ですから言葉ではないんですね。自分の中の潜在意識ですでにプログラムされたところを刺激します。

私の潜在意識のプログラムは日本語式にまだプログラムされていませんので、英語でやります。ですから私は人間電話なんです。

まず彼が思考を送ってきた時、簡単にこのグループに関することをいいます。

そして彼が「どういうふうにみなさんに役立てるでしょう?」と聞きます。質問があればしてください。何かディスカッションしたければ、それについてでもかまいません。バシャールは、どんな質問も、馬鹿らしいとか、幼稚だとかいいません。自分の中にある質問はどんな質問でもしてください。これは彼が選んだ仕事です。途中で理解できないことや、わかりにくいことがあったら質問してください。遠慮はしないでください。

これからトランスにはいります。トランスにはいる時と出てくる時には、静かにしてください。チャネリングをしていて疲れることはありません。むしろ活気づきますが、終わったあとは、ちょっと散漫になります。ですからこの部屋にまた戻ってくるまで少し時間がかかるかも知れません。

私がひとつ言いたいことは「充分に楽しんでください」ということです。みなさんは、自分のお金、自分の時間で来ています。みなさんが楽しもうと思えば、バシャールも楽しめるということです。

それではみなさん、充分楽しんでください。

私とは、またあとでお会いしましょう。

それともうひとつ、トランスに入る時、私の体がちょっと変な動きをしますが、私自身は痛くも痒くもありません。ですからそれを見て驚かないでください。

注：ダリルは目を閉じてから、目と鼻の辺りを押さえて、非常に深くゆっくりと

した呼吸を続ける。手を膝の上におき首を左に鋭く何回か振り、体全部で呼吸している感じ。バシャールをチャネルするまで、この時間は三〜五分程。

バシャール

こんにちは！

それでは、今晩はこんなふうに始めたいと思います。

おしゃべりしている私の肉体は今、日本と呼ばれている所にいます。今日はこの地球上で日本の近辺のエネルギーラインについて話しましょう。

地球のまわりには「ヴォルテックス」（渦の目）とか「ゲートウェイ」とか呼ばれるエネルギーのポイントがあります。そういったポイントというのは、いろいろなエネルギーレベルや、次元につながっている部分です。

それらのポイントから、違うエネルギーレベルや、違う世界へ入ることができます。そのポイントというのは、もちろんほかのポイントとも交じり合っているんですが、各々個性を持っています。

そのポイントを通して、どういう人たちが、どういう世界に、どのようなコネクションを持ちたいのか、ということでも変わってきます。

宇宙と非常に深い、古代からの交流を持っている場所があり、中国・日本・アメリカなどは、そこを通して非常に深い交流を持っています。

この地球上でも何千年も前に、「外」とこの地球上の世界が交流をしていました。そして地球にいろいろな変化が起きて、外の星と地球とがつながっていることを忘れてしまいました。神話とか、伝説とかがありますね。そういったものは他の星との関係などを示しています。ほとんどの人は単なる物語だと思っているようです。いろいろな伝説の中には、単なる物語の部分もあります。でも真実の部分もたくさんあるのです。

あなた方の文化と、私達の文化の中には、非常に近い部分があります。私達の外見、すなわち肉体はあなた方とたいへんよく似ています。ちょっとは違いますけれど。このチャネル（ダリル）も、今まで何回か日本に生まれ変わっています。ですからここへ来ているのも偶然ではありません。私達（バシャールとダリル）はこの時期に二人一緒にこういうことをするということを、昔同意していました。ひとつの目的は、この地球上のすべてのパワーゲートのエネルギーをつなげることです。それによってみなさんがひとつになって、そしてもっと他の文明とも交流ができるように。

でも、だからといって、別に個人を犠牲にするということではありません。

むしろ逆に、自分自身の個性というものをもっと発揮することになります。日本の文化というものは、非常にグループとして動くのに適しています。今までみなさんが持っているものに、もう少し個人の表現というものを足していけば、世界中に素晴らしい効果を与えます。

今晩やっていくうちに、だいぶ哲学的な感じを抱くことがあるかも知れません。この地球上の人達はよくいいますね。

「ああ、そういう考え方もあるけれど・・・」と。でも哲学と真実の世界とはどういう関係があるのでしょう。

今晩は、もっと細かい日常的なことも話していきます。そして多くの人の中には、そうした日常的なものを哲学的に見て、哲学にしてしまった、という人もいます。今晩細かい日常的な話や哲学的な話を混ぜながら、この地球の上に新しいエネルギーを作り、そして他の文明のエネルギーと混ぜていきます。

もうひとつみなさんに思い出して欲しいのは、偶然はないということです。ここに来ている人は、何かの目的を持って来ています。今自分が座っている場所さえ偶然ではありません。今自分が着ているものも偶然ではありません。

こういう交流の中で、あなた自身は、この部屋の中にいる他の人達に影響を与えています。そうしてお互い同士が学ぶべきものを与えあっています。神聖な光を反射している鏡です。もうみなさんが、そういう光をすでに持っているということを、今日特別に教えようとは思いません。私達は、みなさんが深い所に持っている光を反射する鏡になりたいと思います。そして個人個人が学ぶだけではなく、生徒になるだけでなく、必ず同時に先生をやっているということを覚えておいてください。私達の世界でも地球からいろいろなものを学んでいます。私達はみなさんが今日時間を作って、ここに来てくれて、こういう交流を待ってくれたことに感謝します。大昔そうだったように次第に一日一日少しずつこの交流が深まっていくと思います。
皆さんがここに来てくれたことに感謝して、私の方はどのようにお役に立てば良いでしょうか？　質問があったらどうぞ。

Q 1　私が死んだらどうなりますか？
また人間としてここへ戻って来るのでしょうか？

バシャール　もし戻って来たければそうなります。他の世界に行ってその文明の一員になることもできます。もしくは肉体を持たない魂として残ることもできます。もしくは別の意識レベルに行くこともできます。この地球上のみなさんが何回も何回も戻って来るのは、自分自身で制限を作っていて、本当は自分は自由でどこにでも行けるんだということを、自分で知らないからです。

こういう質問に対しても、どういう質問に対しても覚えておいて欲しいのは、常にいつもみなさんは選択する力を持っているということです。

それを覚えていれば、自分の行きたい所へ行けます。

どこに行きたいんでしょうか?

Q 1 とりあえず今年の夏は台湾へ行きたいと思います(笑)。

それでは次の質問ですが、宇宙のビッグバン以前には何が存在していたんでしょうか?

バシャール たくさんの宇宙があるということをまず頭においてください。無論全部ひっくるめて「ユニ」、ユニというのは「ワン」という意味です。ユニヴァースともいいますね。

ビッグバンと今あなたがいっているのは何かというと、ひとつの宇宙だという体験です。地球と平行している宇宙というのもあります。似ている体験をしている宇宙というものもあります。

みなさんが使っている言葉の意味にうまくあてはまるかわかりませんけれど、すべての宇宙を全部ひっくるめて見ると「前」というものはありません。形は違っても、存在というものは不変です。ビッグバンというのも、ひとつの形から次の形に移るプロセスです。みなさんは、時間という概念を使っていますけれど、そのビッグバンの前にあったものは、また違う形の宇宙です。

ひとつの宇宙が変わって、また次の宇宙になります。

今、前だとか後だとかいってますが、時間というものは、イリュージョン「まぼろし」です。すべての宇宙は、現在存在します。あなたのいっているビッグバンというのも、「リニア」直線的なものではなくて、多次元的な事件ですね。

今の説明がみなさんの言語の中でうまく通じているかどうかわからないのですけれど。これより先にいきましょうか？　それとも他の質問がありますか？

Q1

ありがとうございました。

バシャール　ありがとう。次の質問は？　照れないで、遠慮しないで。隣の猫のことでも聞いてください。

Q　2　インドに「シュリ・サッチャ・サイババ」という人がいるんですけれど？

バシャール　はい。

Q　2　その人は宇宙を創ったといっているんですけれど、宇宙人とどう違うのか、地球にどんな目的を持って来たのでしょう？

バシャール　まずは人の鏡となるためです。すべての人のために。

ここにいるひとりひとりが自分で宇宙を創ったということを思い出させるためです。彼がマスターだということも、あなたの中にある部分です。それによって、みなさんの中のマスターの部分を思い出させようとしているんです。

みなさんの中にも、他の世界中の人とつながっている部分があります。ですから、誰が始めで誰が終わりということもないわけですね。どうせみなさんも、宇宙人なんですから。目的というものは、まず自分で表現できることを全部表現することによって、まわりにいる人が自分も表現してもいいんだということを、鏡となって見せてあげることです。もしあなたがやりたいのならば。

今ので答になっていますか？

Q2 ありがとう。

Q3 今とっても情熱的で興奮しているんですけれど。

バシャール 私は普通の地球人の発する波動より高い波動を発しています。でもみなさんは非常に感受性が強いみたいです。みなさんが感じているものは自分のエネルギーなんですね。自分のエネルギーしか感じられません。

私達がいることによって、自分自身に感じさせてあげているだけなんです。

どうもありがとう。

Q3 ハイレベルの宇宙人が宇宙連盟というのを創っているというのですが、その存在はどのように地球に関与しているのですか？

バシャール

みなさん自身の力と創造力によって宇宙連盟に加われるように助けをしています。そして、それをすることによって、平等の立場で働けるように。私達より低いなどという考えを持たないように。

低いとか高いとかいうときに、高い波動の方がより良いわけではないのです。みなさんの自分の姿勢が、その低い所に自分をとどめているだけなんです。ひょっとすると私達は、みなさんよりちょっとだけ早いかも知れません。だからといって、みなさんが高いとか低いとかいうのではありません。ただ私達は、みなさんと一緒にいろいろなものを創り上げていきたいんです。

私達はみなさんを非常に愛しています。

地球というのは非常にエネルギーが高い場所です。ここの場所でなにか起きると宇宙全体にいろいろ響きます。地球のようにフォーカスの高い、密度の高い文明は、今までいろいろな所を見てきましたが、あまりありません。

みなさんは、制限のマスターです。みんな自分の制限に関しては先生です。地球というのは非常に制限のある場所、次元なんですが、みなさんの魂は、そういうきつい場所をわざわざ選択してきた強い意志と勇気を持っています。

ですから今度は、それを地球の変革というほうに向けることができます。

私達は、地球を素晴らしく強い星だと思っています。

今のでいいでしょうか?

Q3　ありがとうございました。

Q4　こんにちは。我々地球人がもう一段進化を遂げるために気づかなければいけないこと、達成しなければいけないこと、それはなんでしょう。

バシャール　自分の人生の訓練。充実したすべての部分のですね。

そして自分の愛が完全であることですね。

みなさんの実用的な部分について少し話したいと思います。たくさんの人が自分の人生の目的を探しているといいます。みなさんの人生の基本的な目的というのは非常に簡単に理解できます。

今まで何回か生まれ変わっているかも知れません。でも、今回の人生は今回だけです。

今回の人生の目的、基本的な目的というのは「自分目身を、充分に生きる」ということです。今回のあなたは、今までもありませんでしたし、これからもありません。今回は今だけです。

百パーセント自分になるということは次のようなことです。

インテグリィティーをもって、つまり統一性をもって自分が一番ワクワクすることをやることです。

よくなにか信号が来るのではないかと待っている人がいます。常に答は来ています。ただ自分で聞いていてはいけないと、聞かない人はいるようですが。

答というのは常にワクワクする気持ちです。

定義づけしますと、「ワクワクする気持ちとは、肉体を通して翻訳されて伝わる言葉、メッセージ」なんです。

どういう言葉かというと、「自分の選んだ道をちゃんと進んでいるかどうか」。

それを教えてくれる翻訳された言葉なんです。

ワクワクする気持ちは、三つのことをあなたに教えてくれます。ひとつ目は自分の道です。二つ目は、自分がそれをやれば努力なしで出来るということです。三つ目はそれをやれば非常に豊かに出来るということです。

宇宙というのはあまり極端な、そして意味のないことはやらないんです。自分でワクワクする能力を自分で持てば、なんでも努力なしに、豊かに出来ます。宇宙はあなたに、片面しかないコインを渡しません。

自分でワクワクするという気持ちを受け取ることのできたときは、もうそれが出来るということなんですね。気持ちだけあげて実際は出来ないということは、宇宙はやりません。

大事なキーは、ワクワクしたときに、自分はそれを行動に起こそうという意志を持つことです。みなさんはこの物理的な体を持った世界に住んでいるんです。だから、一日中座ってイメージの中でいろいろやってワクワクすることはかまいませんが、何も起こりません。ワクワクしたことを行動に起こすことを、悪いと思っている人がいます。なぜならば、社会がみんな好きなことをやってはいけないんだというからです。もしワクワクする気持ちがあなた自身のものでないとしたら、そんなことは起きません。宇宙の機構に信頼を持ってください。あなたがそれを受け入れれば必ず起きます。否定的なことを信じていれば、否定的な結果を得ます。肯定的なことを信じていれば、肯定的な結果を得ます。宇宙はみなさんがどちらを信じていてもあまり気にしていません。「無限の創造」はみなさんを無条件に愛しています。無限の創造はみなさんが永遠のものだということを知っています。ですからその瞬間に、みなさんが否定的なものを選んでも肯定的なものを選んでも、宇宙は喜んでそれをあなたにさせてくれます。それによって、次はどっちを選ぶかを学ばせてくれます。否定的なものというのは流れに逆らっていますし、肯定的なものは流れにそっている、というだけです。自分のワクワクする気持ちに戦いを挑むと、くたびれます。ワクワクするものをちゃんとやるときに、素晴らしい喜びと健康を得ることができます。ちょっと哲学的に聞こえる人がいるかも知れませんが、実際のレベルで話をしているのです。

自分でこうだと信じているもの、そういった観念が自分のまわりの世界を実際に創り上げています。なにが起きるかということを感じてください。自分が感じれば、そしてそれを信じればそれが起きます。ワクワクとすることをやるときに、無限に信頼をおいてください。信じてください。そして宇宙がそれに対して、自分をサポートしてくれることを信じてください。

自分で肯定的なもの、ワクワクするものを選べない時、よく宇宙が自分の思う方向に行ってないと思うことがあります。でも実際にはすべて起きています。みなさんは自由意志というものを与えられています。だから自分の自由なものを選んでください。宇宙はどれでもサポートします。

もしかしてみなさんが宇宙に向かって、「俺はおまえのいうことは信じない、努力をして幸せを手に入れたいんだ」と言ったとします。

そしたら宇宙は「そうか、それでもいいよ、やってごらん」といいます。

もしくはあなたが「もうくたびれたよ、もっと努力もなしに楽に幸せになりたいんだ」といえば、宇宙は「そうか、そうか、じゃあ今度はそれで助けてあげるよ」といいます。答になっていますか？


Q 4 どうもありがとう。

我々が神様とか仏様とか呼んでいるものの正体はなんですか？

また実際に地球にいたといわれる、キリストや仏陀の正体はなんですか。


バシャール 今、いってくださったすべては、本当は深いところでは全部「みんな」なんですね。

特に神、と呼ばれる部分は全部「みんな」です。

神というのは、すべてそこにあるもののことです。すべては神で創られています。

ひとつのものは、ひとつでもあるが、同時にすべてのものでもあります。

簡単にいってしまうとキリスト意識、仏意識というのは、今いったもののミニチュアの部分ですね、小さくしたものです。キリスト意識、仏意識、もしくは社会意識というものは、地球上のすべての意識なんです。この地球の魂です。無論、個人としての存在もありました。そしてそれと同時にその意識の部分は、この地球のいろいろな意識を全部集めた集合的な意識です。すべての世界が、そういった観念を持っています。

私達の世界では、非常に古代なんですが、シャカーナと呼ばれていました。

私達のシャカーナ、みなさんのキリスト、仏意識、そしてほかのすべての物が一緒になって神の意識を創っています。私達にとって、それは自分から離れた存在ではありません。自分の中にあるものであり、自分自身であると思っています。椅子も神、部屋も神、すべてが神です。すべてが光で出来ています。神が宇宙を創ったというよりは、もっと正確にいうと、神が宇宙だということです。

私達は神に似せて創られたといいますけれど、私達は、多面的に見て、神と宇宙を共同制作したと思っています。私達の自由意志と神の意志とを合わせて、この個人個人を創りました。そして宇宙を創りました。さらにそういう宇宙、こういう体験を神から創りました。

もしくは、こういうふうにいいたければ、神が私達を通して宇宙を創ったといっても無論いいでしょう。まあどちらのいい方をしてもいいですね。質問の答になっているでしょうか？

Q4　どうもありがとうございます。今日は興奮で眠れないでしょう。

バシャール　いいえ、あなたは眠るでしょう。そして、そのときにたくさんの人と話をするでしょう、寝ながら。

Q5　なんといっていいかわからないのですが、なぜ来たのかもわかりません。なんだか知らないけれどしゃべりたいと思いました。

バシャール　あなたの愛と、あなたがここに来てくれて分かち合ってくれること、もうそれだけでも感謝します。
あなた自身でいるだけで私はとてもうれしいんです。
こうして、対等の立場で話すことは、私達は大好きです。

Q 5 私は今非常に興奮しちゃって・・・。

バシャール 私達もです。

Q 5 それでちょっとホッとしました。
今非常に努力して、なんとか打ち破りたいと思っていることがあるのですが。

バシャール だから興奮してるんですね、がんばるから。

Q 5 どういう意味ですか?

バシャール この地球の人はよくやるんですが、一生懸命がんばるのは何のためか。
退屈しないためにがんばってるんです。古くから社会や家庭で教えられているんですね、努力をしたり、がんばってやっていないと退屈するぞって。無論、みなさんご存知のように、興奮と不安というのは、非常に細い境界で区切られた裏表ですね。片一方を肯定的に見れば興奮ですし、否定的に見れば不安です。ですから、それを突破することによって心配がワクワクに変わりますね。

そういうことを学ぶことができます。そして興奮に変わるということは、努力する部分がより少なくなるということです。

あなたは過去のことを思いだしてまだ自分の道のりは長いんだ、まだまだがんばらねばいけないんだと過去のことを今にあてはめていっています。

あなたは非常にうまくやってますから、あまり自分にきびしくしないでください。

Q 5 ということは、まわりはすべて幻ということですか？

バシャール 別に、まわりにあるものがすべて幻だというのではなくて、あなたがこの頃だんだんといろいろなものに対する感受性が強くなって、それらを受け入れられるようになったということです。

あなたは、今いろいろなつながりに、すごい勢いで飛び込んでいます。すべてのことは、完璧なタイミングで起きます。もしかしてなにか失敗するんじゃないか、自分は見過ごすんじゃないかと心配をしないでください。

すべての運命というものは自分で選びます。ちゃんとしたタイムスケジュールも自分で選んでいます。わかりましたか？

Q5　じゃあチャンスをミスするという心配は、しないでいいんですね。

バシャール　しない、しない、しない。

本当のことをいえば、心配することによって、そういうチャンスが自分のところに入って来ることを長引かせています。不思議なことにリラックスして心配しなくなると、より早くそのチャンスがやってきますし、チャンスが来たときに見過ごしません。はっきりとわかります。なぜならばリラックスしたとき、自分の中心はちゃんと中心に合って、そして意識も非常に冴えています。そういうときにはなにも見過ごすことはありません。

本当はなにも見過ごすことはないのですけれど、緊張しているといかにも見過ごしたような気がします。自分の姿勢、見方ですが、それがすべてです。

それによって見たいものが来たとき、欲しいものが来たとき、ちゃんとわかります。もし、あなたがそこに座っていて失敗するかも知れない、見過ごすかも知れないといっているときに、チャンスの方は隣に来て「ネエネエ、こっちを向いて」っていってるんです。もしリラックスしていれば、チャンスの方がちょっと触れただけでパッとわかります。

Q５　じゃあ、リラックスして待てばいいんですか？

バシャール　ちょっと待ってください。

リラックスして行動してください。今明確に出てきているチャンスに対して行動を起こしてください。宇宙にいろいろなことをさせてあげてください。自分でただ受け入れてくださいというのは、別にあなたが椅子の上に座っていれば、すべてどこかでお膳立てができてしまうということではないのです。

毎瞬毎瞬、自分がワクワクするようなチャンスに、あなたに行動を起こさせてあげてくださいということです。

なぜならワクワクすることをやっていれば、リラックスできるからです。

時間というものは飛んで行きます。ですから自分でワクワクすることがあるのに、それをしないでのんびりしていないでください。

Q５　私は自分の奥さんとケンカするとき、興奮するのです。

バシャール　興奮するのですか、それとも心配になるのですか？

Q5　イライラします。

バシャール　なぜ？

Q5　んー・・・・・。

バシャール　私は待っていますからゆっくり考えてください。

Q5　私はそういうのが嫌いなのです。

バシャール　なにが嫌いなのですか？

Q5　イライラするのがです。

バシャール　では、なにに対してイライラするのが嫌いなのでしょう？

Q5　私の妻がそういうような状況になるのが嫌いです。

バシャール　どんな状況でしょうか？

（この間、若干テープに中断あり）

バシャール　今話をしたいことでしょうか？

Q5　はい。

バシャール　ＯＫ、でも私は別に無理にとはいいません。もう一度みなさんにいっておきたいのですが、みなさんがいってくれることすべては他の人に対する贈り物ともなります。なぜならば、私達はすべてひとつの家族なのです。今ので助けになりましたか？

Q5　私のために？

バシャール　はい。しゃべってもいいということです。

Q5　そういう、ケンカをしたくない。

バシャール　自分の中でどういう批判をしている部分があるのでしょうか？　もしくは自分の中にそれを見るのが恐い部分です。
「頼むからそんなものを見せないで」「見えるっていうことは自分の中にあるっていうことだから頼むから見せないで」と。

Q5　そのことは概念上の説明としてはわかるのですが、ピンとこないのは僕がなにかを避けているからですか？

バシャール　必ずしもそうとはいえません。なにがイライラするか具体的に話してください。

Q5　なんかその、ずぼらに見えたりするところだとか。

バシャール　どういうふうに？

Q5　子供の扱いとか、それとか明るくしていて欲しいと思うんです。

バシャール　なんで？　彼女は幸せではないのですか？

Q5　僕にはそんな感じに見えます。

バシャール　「なぜ彼女はハッピーではないのか？」と聞いたことがありますか？

Q5　そんなに多くはないけど。

バシャール　なんででしょう？

Q5　その前に僕がいらつく。

バシャール　では、イライラする前に聞いたらどうでしょう？　人間関係の中でいろいろマズいことが起こってくるときは、話してコミュニケーションしている部分から起こってくるのではなく、コミュニケーションされていない部分から来ています。ですから、出来るだけ早い時期に自分を隠すことなく本当にオープンに表現することができれば、後で起こり得るややっこしい事態を避けることができます。自分自身で考えていること、思っていること、信じていることを非常に愛情に満ちたやり方で相手に全部正直に伝えることができたら、相手もそれによって自分は何を信じているか、何をどういうふうに感じているかを知ることができ、自分の考えとあなたの考えを比べることができます。

この世界の人間関係で起きていることは、自分達が話をしていないこと、コミュニケーションしていないことが原因でイライラする、ということです。

そしてそこから出てくることにまたイライラするのですが、結局は自分の中で相手にわかってもらえていない、もしくは相手をわかっていない、そういう理解不足のところにイライラしているだけです。すべての人が自分の信じていること、自分の中ではこう思っているということを素直に全部表現したとしたら、誰もそういった新しい情報に対してケンカをしかけようと思う人はいません。

コミュニケーション不足から出てくる誤解がそういった感覚を創ります。

Q5 自分が女房に対して批判的に見るとき、自分のなんのプロテクションなのかということを知りたい。

バシャール それも出来ますけれど、でも次のことを覚えておいてください。あなたは自分でその人間関係を選びました。そこには目的があります。その目的、もしくは理由がまだあります。それを見つけてください。わかりますか?

そしてその後で今起きていることがなぜ起きているのか、その理由を捜してください。すべての人間関係というのは、お互いが自分の中にあるまだ見えてない部分を自分が学ぶために、相手を引き付けて二人で共同作業することです。

でもだからといって、必ずしもその二人のいっていること、やっていることが常に一対一の鏡となっていて、それを見ようとしているのだというわけではありません。

直接的でないときもありますけれど、相手がやっていることは、自分が本当に必要とすることへと導いてくれます。もし悲観的部分が少なくなれば、そういうものに対する誘惑が減り、本当の相手というものが見えてきます。

自分の批判的なボタンを押されると、簡単にイライラしてしまいますね。そういう人をわざわざ選んだということは、自分の中でまだそういうものを学ばなければいけないということです。わかりますか？

Q5　バシャールから見て、私達夫婦の目的とはなんですか？

バシャール　人間関係のすべての目的というものは、自分目身をその相手から学ぶということです。でもただひとつの目的ということはありません。たくさんのものから学ぶことができます。たくさんの目的を持ってもいいのです。

あなたは変わるということも、変化するということも学んでいます。なぜならば宇宙でただひとつ確かなことは、変化しているということです。

ある一レベルでは、二人は両極のような部分を持っています。片方は堅くて、もう片方は非常にルーズで、でも、その二人が共通な場を築こうとしています。したがっていつも一人が堅くて、もう片方がいつもルーズだというわけではないということだからです。

面白いことに、矛盾しているように見えるのですが、自分でその相手の状況を受け入れると不思議と状況は変わってしまいます。相手が変わるということを、まず自分の中で受け入れてあげることによって相手が変わります。

Q5 では、なぜ受け入れようとするとき努力を感じるのですか？

バシャール 「受け入れようとするとき」といいましたが、なぜ「受け入れよう」としなければならないのでしょう？　なにか物を落としたときそれを「拾おう」としますか、それとも「ただ拾うだけ」でしょうか？　どちらでしょう？

あなたは受け入れたいんですか、受け入れたくないんですか？

Q5 もし、葛藤があったらどうするんですか？

バシャール 自分のイマジネーションを使ってください、なぜならあなたにはイマジネーションが備わっているからです。もし受け入れてしまったら何が起きるか、どんな怖れていることが起こるかを見てください。受け入れていることを頭の中でやってみてください。それによってどこで「んっ」とくるかわかります。頭の中でやった場合に、自分でどうしてもそこまで行きたいと思っていても、こんなこと初めからやらなければよかったというような「躊躇する場面」に出会った時、そこで出てきたものは自分がわざわざ躊躇する程の価値あるものではないと決めて、それを受け入れてしまえば、ゴチャゴチャした道を通らなくってもその先にたどりつけます。

みなさんのイマジネーションは、すべてのものを、まるで実体験のように前もって体験することができます。現実の体験のように。ですからこの物理的な世界でいろいろなことがあったとき、まず自分のイマジネーションのなかでそれをやってみてください。

イマジネーションというものは本当は現実世界そのものです。ですからそれをやってみれば、どこで引っかかっているかがわかります。それを阻むものは自分の不正直さだけです。

お願いしたいのは、他の人に対しても自分に対しても、そんなにきびしくならないでくださいということです。みんなその状況にいるのは、なにか理由があるからです。その理由を見つけてください。

その人間関係を始めたときに、すでに二人はなにがその下にあるかを知っていたと考えてください。現在でも、あるレベルまでは自分でわかっていると仮定してみてください。

ただ知っていて欲しいことは、他の人を変えようと思っても、他の人は変えられないということです。そして自分のまわりの世界を変えるための一番簡単な方法は、自分を変えることです。

すべての人はすべてのレベルで同時に存在しています。自分のやりたい方法、自分の持ちたい姿勢、態度――そういうものも同時に進行しています。

自分自身の波動が上がったとき、相手のその波動の部分（自分と同じように高い波動の部分）としか交流が出来なくなります。ラジオで局を選ぶように。

そうしてまわりが変わったように見えるのですが、実はあなたが変わったのです。

相手の人の違うレベルと自分の現在のレベルとが交流することになります。

もしくは、そこで個性的に違いすぎると感じるときは、その二人は違う道を歩み始めます。でも、恐れからくる、自分はなにかに直面したくないから、こっちに行くんだ、別れるんだというのは否定的な見方になるかも知れません。

ですけれど波動が自然に合わなくて、別の道を歩むということは否定的なものではありません。

本当に自分自身で相手に付き合うとき、自分自身を相手に与えることができますし、本当のあなたとしての人間関係を保つことができます。

どうでしょう、少しは役に立ちましたか？

Q5 どうもありがとう。

バシャール 少しの間、今のアイディアを考えてみてください。

そして、自分自身のガイド、自分自身のハイアーセルフ（大いなる自己）などともコミュニケーションしてください。そのことでまたリラックスできます。

よく夢の中で否定的なものを体験したりするときがありますが、それは、否定的な出来事の始まりではないんです。ほとんどの場合は、必要なプロセスを終えた最後の段階です。夢の中でいろいろケンカなどをすることによって、実世界の中でやらなくてすむようにしている人もたくさんいます。

無論自分で、この世界でまたやりたくなければですね。本当にありがとう。

Q6　バシャール達の空間移動の方法について、我々にわかりやすく説明してください。動力だとか、乗り物についてとか。

バシャール　私達の宇宙船がどのように動いているかについて、次の比喩で話します。みなさんの思っているように宇宙を通っては来ません。どちらかというと、宇宙空間と同一化して来るんですが、実際には全然旅行しないんですね。説明します。二つのものがあったとします。形からなにから、計れるものすべて同一なんですね、なにからなにまでそっくりなんです。違いは場所が別の所にあるだけで、まったく同じものだと思ってください。

みなさんの科学では、時間軸を使ってその位置を表しています。そしてその物体がこの空間の中にあるといいます。もしくは空間がその物体のまわりにあるといいます。私達のいい方をすると時間と、空間というものはその物体の外にはないんですね、その物体の性質の一部というふうに考えます。時間と空間がその物質を定義づけするのではなくて、その物質が時間と空間を定義づけします。その二つは分離できる性質ではないんですね。非常に密接につながっています。すべての物体というものは、光もしくはエネルギーの、ある周波数からできています。すべての物体というものが、そういう周波数からなる関数をもった式で表せます。その物質の定義付けというものは、その周波数が変数となった数式で表すことができます。

みなさんのまわりには、宇宙船とまわりとを隔てるよう泡を創ります。この泡というのは光からできているんです。そしてある特定の周波数を持っています。

みなさんの言葉でいえば超マイクロ波の区分です。それによってその泡ができる前にあった宇宙の波動と宇宙船の波動がつながっていた部分を、この泡によって隔離し、ミニゲート、エネルギーのゲートを創り出します。

パワーゲートというのは宇宙のいたるところすべてにつながっています。特ににを創り出すというのではないのですが、宇宙の非常に原初的な位置にあります。

そういうなかで宇宙船の周波数を変えることによって、ここのAという場所から、その数式の中の場所の変数がBという所に変えられます。その後、まわりの泡を取り除くと、どこにいようが、いつにいようが、そのBの前に姿を現すことができます。そしてAの方ではパッといなくなったように見えます。

ですから宇宙を旅行するというよりは、Aの場所にあるものをひょいとつまみ上げて、Bの場所に置くような感じです。

光速より遅いスピードを使う場合は、この宇宙空間を旅行するという形になります。しかし、光速を超えたスピードを使う場合は、もう旅行とはいえません。光速を超えてしまうと、場所と位置と時間の再定義づけをするようなものになります。無論、この地球から五～六時間離れた所に出てくるのが宇宙船にとっては安全なんです。ときには二～三分で来てしまうこともあります。いる場所によって二～三分で来たり、五～六時間かかったりするのですが、自分の好きなところに宇宙船を出現させることができます。

そこから地球に近づくのには、のんびりとゆっくりやります。でも私達の星から地球までは、ほんの一瞬です。

どうでしょうか、質問の答になっているでしょうか？

Q 6 わかったような、わからないような・・・。

バシャール 地球上でもこういう経験をしている人はたくさんいます。それは電磁波のマッチングですね。電磁波、私達の言葉ではエーテル磁波といいますが、そういうものをうまく使うと、時間とか空間をするりと抜けることができます。

その道具には、電磁波を創り出す部分と、周波数を合わせるもの、チューナーのようなものが必要です。
ただ憶えておいて欲しいのは、すべてのものは周波数で出来ているということです。みなさんは音叉というものを知っていますね、叩いて音が共鳴するものですが、私達の宇宙船も目的の周波数帯に周波数が共振すると、その周波数のところにすっと入って行きます。旅行しないでも一瞬の内に違う周波数、レベルに行くことができます。どうですか、少しはわかりやすくなりましたか？

Q6 お釈迦様の額から光よりも速いものが出ていたと聞いたのですが。

バシャール すべてのものはもちろん光からできているのですが、今おっしゃったことはある意味では正しいです。なぜなら、皆さんの知っている光というのは、ただひとつだけなのですが、実際にはもっとたくさんの光がろからです。
より高い光というのは別次元の宇宙です。先程のいい方を用いれば、周波数の違う世界ですね。地球上でいう電磁波の周波数域というのは、宇宙でいう無限の幅を持っている周波数域の中では非常に小さな部分です。高い周波数には、サイキックな部分とか直感的な部分とかが一番近いです。ですから超能力的な部分というのは、時間とか空間とか関係なく、自分の必要な情報を、普通ではあまり使われてしない周波数から得ることができます。

私達の宇宙船については次のような比喩でお話したいと思います。私達の宇宙船にあるコンピュータは、コンピュータ自身でなにをやっているのか知っています。私達のナビゲーションシステムというのは、私達のコンピュータが超能力を持っているのと変わらないのです。この第三の目（だいたい眉と眉の間に位置すると言われるチャクラのこと）を使って、いろいろな周波数と通じていて、行きたい周波数のところをロックすればその周波数に入ります。すると次の瞬間にはこちら側に現れていて、今どこから来たのかなと反対側を見ています。そして、もう着いているんですね。

宇宙というのはホログラフィーのようなものです。どういうことかというと、あらゆる物質というのは潜在的にすべて、どこにでも同時期に存在しているのです。あるレベルで見れば、みなさんがこの部屋の中を歩いているときでさえ、本当はそれをやっているんです。時間というのは幻であってみなさんが思っているようにスムーズに連続的に動いてはいないのです。みなさんは実際には連続しているのではなくて、あなた自身という存在を断続的に別の場所に再現していて、フッと見ると動いているように見えるのです。

わかりやすくいえばアニメーションですね。非常にたくさんの細かい動きの描かれたものを超スピードでパラパラやると、動いているように見えますね。そんな感じです。

無論、究極的には宇宙船などいらなくて、個人でそういうことができるわけです。宇宙にはそういった文明もあります。もうすでにその方法でよそから来たり、地球上で好きな所にテレポーテーションしたりしているものもあります。A点からB点にテレポートする、移動するとき、AからBの間にある断続的な部分を省いているだけです。

どうでしょう？　わかってきましたか。

Q 6

現在、アメリカにはそのパワーゲートというものがたくさんあるといわれていますが、日本にはないのでしょうか？

バシャール

富士山というのもあれは偶然ではないんですね、だいたいそういうゲートというものは地理的にもなにか特性があります。

アメリカではシャスタ山（カリフォルニア北部の山）です。

Q6　あなたたちの宇宙船に乗せてくれませんか？

バシャール　まだ、物理的なコンタクトの時期ではありません。私達のエネルギー、そして連盟のエネルギーは常にありますから、あなたがそれを感じたかったらいつでも感じることができます。

非常に大切なことがあります。富士山とシャスタ山は直接的につながっています。両方の場所でそういうエネルギーを同時に感じることができます。太平洋を超えてこの二つの場所につながりを創る、エネルギーのリンクを創るといった目的もあります。

もう少しして時期がやってくると、私達や、またあなた達以外の文明との物理的なコンタクトが始まります。無論、地球の人でもすでに感受性の強い人達の中には私達の宇宙船を見ている人達もいます。

Q 6　ありがとう。それを楽しみにしています。

バシャール　今のようにいろいろなことを分かち合い、こういう質問をしてくれることによって違うエネルギーができ、それが地球全体への影響となっていくでしょう。どうもありがとう。
それでは、これから十五分間の休憩にはいります。少しの間静かにしていてください。

（バシャールがダリルから離れ、二～三分位でダリルに意識が戻る）

ダリル　どんな感じだったでしょうか？（目覚めたばかりという感じ）

――十五分休憩――

バシャール　では、始める前に一言いわせてください。いくつかのアイディアをこれからみなさんと分かち合います。その後でまた質問してください。
もし宇宙人と会いたいと思っているのなら、私達の目から見て地球上にはすでによそものがいます。地球上にいるよそものの第一は、あなた達です。第二はイルカで第三はクジラです。外見は違いますがあなた達と同じタイプの魂です。よく夢の中でイルカやクジラと話し合います。人によっては形を変えて生まれ変わる人もいます。ですからこの地球上には二つのよそから来た種族がいます。今こうした地球の変革の時代で、そういった二つの違う種族のつながりをつくるということも必要です。地球の上で違う種族が一緒になれるとき、よその世界とも交流ができるようになります。

イルカというのは非常にテレパシーをよく使っています。そして何千年もの間、他の惑星達とコンタクトしています。ですから彼らの夢の現実を、あなた方と分かち合ってください。みなさんの夢の中で、夢の現実の中で彼らはさらにコミュニケーションを深めています。それによってみなさんがそういったことに慣れるように。皆さんがお産をするときには非常にそばにいてくれて助けてくれています。彼らの愛情とエネルギーをもう少し頼ってあげてください。彼らがみなさんに与えてくれている贈り物というのは、いかに遊ぶかということです。

それでは、質問に移りましょう。

Q7

バシャールさん達はどのような肉体を持っているのですか？

バシャール　私達はいわゆるヒューマノイドと呼ばれて、みなさんと似ています……ちょっと違いますが。だいたい身長は平均で一メーター五十ぐらいで白っぽい灰色の皮膚をしています。人間よりは少し目が大きいです。モンゴリアンとかそういったもののとちょっと似ています。男は髪の毛はなく、女性はだいたい白い髪の毛です……例外もありますが。目の色は白っぽいグレーです。瞳の部分は非常に大きくて目を全部占領している感じです。人間よりはもう少し痩せています。みなさんの目から見れば、子供のような体つきをしています。こんなことでいいでしょうか?

Q　7　バシャールさんの生活は宇宙船の中が主なのですか?

バシャール　ほとんどそうです。私の惑星には都市というものは、ほとんどありません。所々建物はあるんですけれど、ほとんど公園のようなものです。だいたい人口の三分の二が宇宙船都市に住んでいます。そういう宇宙船の中で宇宙全体を探索しています。長さは何キロにも何キロにも何キロにもわたっている母船です。その中にもたくさんの緑があります。

Q　7　私が今生に生まれてきた目的がわからないのですが。

バシャール　ということは、自分でなにをすればワクワクするかを知らないということですか？　先程からいっているように毎瞬、毎瞬自分がワクワクするようなことをやるということが第一です。この世界に今いる人達は、この地球というものが変革していく、それに対して無論奉仕をするためにいるんですけれど、個人的にどのように奉仕するかというと、自分自身がワクワクするやり方で寄与する、ということなのです。

どういうふうにやったらいいのかというところで、混乱しているかも知れません。そのワクワクすることを見つけなさいといっても、今一番これだ！　というものを見つけなさいということではないのです。その、一番ワクワクするものを知らなければいけないというのではなくて、もう少し単純に考えて、一歩、一歩やってみてください。みなさんは、ここに居るという事実からして、たぶんここに居るということが今一番ワクワクするんではないかとこちらでは仮定しています。

質問していいですか。

今日のこの交流が終わったら、何があなたを一番ワクワクさせるでしょう。別に、今答える必要はないのですが、自分が毎瞬毎瞬、本当にワクワクするということを見つけてください。

そうするとこんな質問が出るかも知れません。「道をこうやって歩いて行く事が自分をワクワクさせることなんだけど、でもこれと、自分の使命とはどう関係しているんだろう？」「私は今、自分の足を見ているのがワクワクするんだけれど」と。ここでいいたいことは、すべての興奮する、ワクワクするということは、その他のワクワクするものに、糸がビーズの中を通っているように、つながっているということです。そして、自分の道はこれだ、ということを示してくれるのがワクワクする気持ちですね。そういうワクワクすることを、まず自分の身近で今自分に与えられていて、やれることをやることによって、そこからさらに自分で考えもしなかったような、他のものとつながっていきます。

みなさんのこの社会の中で、自分の人生の目的を非常に難しくしている理由は、みなさんが、人生の目的とはこんなにシンプルだ、ということを信じないからです。大きなことはやらないでいいといっているのではないんです。でも、どんなことも、簡単なシンプルなステップから始まります。そしてそのステップというのは、常に一番エキサイティングなものです。

一番大切なことは、最初のステップは、自分が本当にしたいものと直接関連があるとは限らないということです。そう見えない時もあります。

人生というものは毎瞬毎瞬なんですね。これからどうなるんだろうということが、すべて今、現時点で見える必要はないんですね。

また、今自分の見ているものが、そのまま自分の考えにあてはまる必要もありません。なぜならば、この世の中のシンボリズム、象徴というのはいろいろな意味を含んでいるからです。

自分がワクワクすることが、自分のやりたいものとつながっているように、今全然見えないと思っても、それはただ社会によって今まで教えられた通りの目から見て、表面的にどうも合わないと見ているだけです。どんな状況も、初めから決められている意味、というのはありません。

すべての状況、すべての象徴というものは、本当は中立です。そして中はからっぽです。それがあなたの目にどんなふうに映るとしても、ものの意味というのは関係ありません。あなたがそれに意味を与えています。あなた自身がこれを見たらこういうものだと信じろといわれてきたことを、自動的に受け入れているのです。すべてのもの、シンボルは基本的には中立です。いい方を変えれば中性です。

あなた自身がそれに意味を与えたものが、あなたに対しての意味となります。それに肯定的な意味を与えれば肯定的な結果が出ます。否定的な意味を与えれば否定的な結果が出ます。非常に簡単な物理学、非常に簡単な機械的なものです。ですからある状況を見て、自動的に「みんなこの意味知ってるよ」なんて考えないでください。自分自身でそれにどういう意味を与えたいのかということを決断してください。

例です。この地球上で電車と呼ばれている乗り物に乗ろうとしたとします。プラットホームまで行ってみたら電車はもう発車したところでした。客観的に見れば、あなたはプラットホームの上に立っています。電車は動いていません。そしてあなたは電車に乗っていません。ただこれだけです。状況自体は意味を持っていません。中立なんですね。

もしあなたが「乗り過ごした」「乗り遅れた」と思うなら、否定的になって、嫌な感情が出てきます。そして、そういう否定的な姿勢からすべて否定的な結果を自分で創り出します。

怒りながらそこら辺を歩くかも知れませんし、電車のスケジュールに文句をいうかも知れません。自分自身の一日が悲惨なものとなったと同じように、まわりも巻き込みたくなります。

それでは、同じような中立的な状況を考えましょう。あなたはプラットホームに立っていて電車は行ってしまいます。自分は非常に肯定的に考える人だから、なにか肯定的な意味があるに違いない。そして、あなたは非常に緩やかで、リラックスしながら「これは自分にとってどういう意味があるんだろうか?」と考えたとします。あなたはそこから怒ってドタドタ歩いて出ては行きません。そこで、リラックスしてふと見ると、何年も会っていない友人が、たった今電車から降りてこちらに歩いてきています。そして自分が電車に乗って目的地に行くよりも、今ここでその友人に出会うことの方が、意味があることを知ります。

もし、ここで怒って立ち去ることを選んでいたのなら、友人と出会うチャンスはなかったでしょう。これはただの物語ではありません。実際に人生はこのように動いています。

すべての出来事は、すべての他の出来事につながっています。ですからあなたに起きる出来事というのは無限大にあります。あなたの波動、バイブレーションが、その内のどの出来事をやって来させるか決めます。

人生というのはあなたに降り掛かって来るのではないのです。あなたを通して起こるのです。私のたわごとはあなたの答になっているでしょうか？

Q７　どうもありがとうございます。まだ質問があるのですが。

バシャール　どうぞ。聞くことがあるなら尋ねる必要はありません。

Q７　ワクワクすることがあるんですけど・・・。

バシャール　それはなんですか？

Q７　バシャールさんの宇宙船に乗ることです。

バシャール　では自分で造ってください。

Q７　今、喫茶店で働いています。

バシャール　面白いですか?

Q 7　人間関係がちょっとうまくいかなくて。

バシャール　どこで働きたいでしょう?

Q 7　それがわからないんですが。

バシャール　一番大切なことは今いったことですね。今自分が出来る事ですね。自分に与えられていること。それに行動を起こすことによって、現在自分には出来ないところが出てきます。そして出来るようになってきます。
今自分で出来ることで一番ワクワクするのはなんでしょう。

Q 7　わからないんですが。

バシャール　それでは、そこに寝てください。リラックスして夢でも見ていると、イメージが出てきます。非常に大切なことですが、イメージが出てきた時、即座に意味がわからないからといってそれを否定しないでください。リラックスして、椅子に座ってみたら最初に出てきたイメージが、砂浜で運動している姿だったとします。「そんなことやってどうやってお金が儲かるのだろう」と思います。でも自分のそういったイメージをずっと広げて見ると、あなただけではなくて、まわりにはたくさんの人がいて、あなたにお金を払って運動を習っているかも知れません。自分の本能的な部分、そして自分の中でなるほどと思う部分、これが正しいと思うような部分を自分で実際に行動に起こすことによって、そこからいろいろなことが出てきます。無論、私達はこれを自分の中で本当に信頼していくには、大きなステップを踏まなければいけないように皆さんが感じていることもわかっています。「今の仕事をやめてしまったらどうやって生きて行こう？」「大嫌いなんだけど、どうやって生活すればいいんだ？」と。

今、実際には生きています。自分の仕事を嫌って生きています。でもそれは百パーセント生きていることにはなりません。

自分の行きたい方向に行けば、あなたは必ずサポートされています。今現在頭の中で、あるいは昔からこういうふうにサポートされてなくてはいけないというような、あなたの思ったやり方でサポートされているとは限りません。なぜなら、豊かさには、たくさんの形があります。

豊かさの定義は「自分のやりたいことを、やる必要のある時にやること」これだけです。

お金かも知れません。でも、お金である必要はありません。豊かさが一番抵抗のない方法で入って来ることを、自分に受け入れてあげてください。

なにか自分に必要な建物、場所が自分をワクワクさせたとします。ところが、今までの社会的な部分で自分で欲しい場所、自分でこういう家に住みたいといったときには、きちんと、嫌な職場で一生懸命働いてその家を手にいれなければいけないんだと思っています。

でも、自分の好きな仕事をして、ワクワクしていると、偶然に「今、部屋があいているのよ」という人にバッタリ会ったりします。

そういうほうがよくないですか？

Q 7

はい。

バシャール

そういうような、近道が自分で期待した道といつも一緒だとは限りません。人生というのは、自分がそうさせてあげれば、そういう奇妙な偶然のかたまりです。人生というのはすべてあなたが一番やるべきことをやっているとき、みんな必要な場所に、そして必要な時間にタイミングよく配置されているんですね。それを受け取ることによって、今度はまわりの人にもちょうどいいものを与えることができます。すべての奉仕というのは、必ずその観客を創ります。そしてすべての観客はみんなの前でなにかをやる人を見つけてきます。

ですから、お願いですから信頼してください。私達は、宇宙がそういうふうに働くということを保証します。それは神話ではないんです。

この変革の時代にあって皆さんの社会が、驚きをもって見るものは、童話や神話のなかで教えられたことが実際には真実だということです。実際には宇宙はそのように動いています。

みなさんは、百聞は一見にしかず。見えることは信じられる、と習いました。本当はその逆で、信じられることは見える、なんです。信じれば見えるんです。みなさんの中には、無意識のうちにそうした観念、信念をもっています。現実というのは、あなたが信じていたものが出てきていることになります。

その結果を見て、見てから信じているんだと思う人がいます。

まわりに見ているものは、自分の中でなにを信じているのかを見つけだす手掛かりになります。まわりに見ているものが嫌だとしたら、自分の中でそういうものを信じているんだということが分かって、それを変えるチャンスが目の前にあるということなのです。自分のまわりに否定的な状況があるということは、別にそこで引っかかってしまっているということではないんです。そういうものが見えた時、チャンスが来ています。「どうだ、このままやろうか」というチャンスです。
「このままやるか、それとも自分の想像力の中にある別のことをやるか」という、チャンスがあるんです。

そこでできることは、なぜこんな観念、先入観をつくり上げてしまったのか、こんなことを信じているのかを見て、どういうふうに変えたいかを知る、ということです。自分でこういった状況をつくってしまった原因に「自分は、成功なんかしてはいけない。そんな価値のある人間ではない」という思い込みがあります。そこで最終的に気がつきます。自分の先入観念こそが、まわりの世界に「自分は成功には値しない人間なんだ」ということを見せていることを。

では、別のどんな定義づけを信じようか、あるいはこのまま受け入れてしまうのか、もっといいものを見つけるのか。

想像力のなかで、こんな言葉が聞こえます。「私はいつも成功に値する人間だ、いつも、成功するんだ」と。そうすると、みなさんのトレーニングの度合によって、「うーんそうかなあ」と半信半疑な答が返ってきます。

それだったら少し妥協して、「じゃあ今までより、もうちよっと成功する」でもなにか中途半端ですね。

するとイマジネーションの部分がいいます。「そうだ、中途半端だ」と。

そこでさらにいいます。「このまま中途半輪なことを信じるのか、それとも大胆に全部信じてしまうのか」と。

「わかった、わかった、おまえが正しい。本当は自分はすべて成功するんだということを信じる」

では、信じてください。宇宙はあなたを落胆させることはありません。

なにも、あなた以外にあなたを止めているものはありません。宇宙はあなたに充分価値があると思っています。ただあなたが自分で受け取らないだけです。

自分で自分にそれだけの価値があると思えることが、実際にそれを創り出すパスポートとなります。自分でそれが信じられたら、今度は自分でそれを信じている人間として、行動に移せばいいだけです。

ですから、自分で成功なんかしないいんだと思っている人間のつもりで行動を起こさないでください。

道を歩きながら、「俺はまた失敗した」そんな格好でいないでください。

どんな時にも、毎瞬毎瞬自分が成功できるんだというフリをするのではなくて、本当に信じて毎瞬毎瞬そのつもりでやってください。自分で信じてもいないくせに、格好だけ成功者であっても、結局どうにもなりません。ですから、自分自身にそういうチャンスを与えてあげてください。

百パーセント本当に信じてやってみせるチャンスを与えてあげてください。

人によっては「そんな簡単なことを信じるのは、私には難しすぎる」というかも知れません。

そういう人には、私からひとつ質問したいと思います。

なぜそんなに「信じることが簡単だ」と信じる必要があるのか、という人にです。「なぜやってはいけないんですか?」それは、あなた次第です。

自分のその懐疑的な影の向こうに、自分が本当に信じていることを、現実は確実にあなたに反映し、見せてくれます。

どうでしょう、小さな泉ちゃん、あなたの助けになったでしょうか？

Q 7　どうもありがとう。

地球人は宇宙人によって実験室で創られたといっている人がいます。

本当でしょうか？

バシャール　人間というものは、地球と呼ばれる自分の実験室で人間によって創られたものです。他の惑星との交流のなかで次第に遺伝子などが変わったものもありますけれど、それも、すべて同意のもとで起きています。

誰か他のものが完璧に誰かをコントロールするということはあり得ません。あなた自身の同意なくしては、誰もあなたを変えることも、なにをすることもできません。

E．T．だとかいろいろなものもありますが、結局は自分自身をその人に投影しているだけです。わかりましたか？

Q 7　ムー大陸が二〇二〇年に浮かんでくるといわれていますが。

バシャール　そういう大きな地殻変動で、大きな地面が上がってくるかも知れません。ハワイがちょうど真ん中にあります。

ムー大陸、レムリアのエネルギーというのは物質的に上がるよりは、むしろみなさんの意識の中で上がってきます。

レムリアのエネルギーというのは、より本能的なエネルギーであって、分析的なエネルギーではありません。みなさんの中の直感的な部分、今までのなかでは、分析的な、論理的な部分が多いのですが、その直感的な部分、インスピレーションの部分を再び取り戻してバランスを取ることによって、そのレムリアの意識に近づきます。

どういうふうに感じますか。自分の中で論理的に考えることによって自分に与えていた制限を取り除き、そういう直感的な部分を取り戻すことによって、何千年もの深い知識を得ることができます。みなさんはよりレムリア人の意識に近くなりますし、アトランティスの意識にも近くなるでしょう、でもどちらにしても、より丸くなるだけのことです。いいですか?

Q　7　テレポーテーションがしたいんですが、どうしたらよいでしょう。

バシャール 答は同じです。現在に生きることができれば、どんな他の今にも自分を変えることができます。

テレポートするときというのは、今から別の時間に行くわけではないですし、ここからあそこに行くわけでもありません。テレポートするというのはここから別のここに行く、今から別の今に移るということで、今の自分に百パーセントなることによって、充実することによって、どんな今にも自分をもっていくことができます。そして、あなたの、この物質的肉体というものが、もっと柔らかく柔軟になってきます。みなさん全部そうです。

みなさんがなにを学んでいるかというと、いわゆる夢というものが現実であって、今の現実というものが夢だということを学んでいます。その二つが分かれているのではなくてひとつだということがわかった時、夢の中でできることがこの現実の中でもできるということを悟ります。

夢とこの現実を融合する方法というのは、今、夢を生きるということです。

そうすればなんでもできます。わかりましたか？

Q 7 どうもありがとう。

バシャール　それでは、良い夢を見てください。

Q　8　こんにちは。
アリゾナ州セドナにおけるＵＦＯの活動について教えてください。

バシャール　非常に忙しい忙しい場所（busy place）です。

Q　8　たくさんのチャネルが今年の夏に直接的なコンタクトがあるというメッセージを受けているんですが、これはアストラルレベルでのコンタクトでしょうか、肉体レベルのコンタクトでしょうか。

バシャール　両方あります。そのセドナという場所は、非常にマグネチックな場所です。アメリカの中には今いろいろなエネルギーポイントが、いろいろな方法、やり方で存在しています。
私達の意識、私達の宇宙船が来るのに、ハイスピードで来れる、そういうエネルギーポイントの場所というものがあります。そこでは、いろいろな活動が行われています。

そこに惹かれてくる人達というのは、私達が惹かれてくるのと同じエネルギーに惹かれてきています。古いやり方から新しいやり方に変わっていく爆発的な広がり、拡大です。
そういう強い電磁波的な、引き付ける力があるところは、今までもありましたし、これからもたくさんの交流があります。
そういう場所にいることによってみなさんの波動が上がり、向こうが半分降りて来れば、ちょうど真ん中で出会うことができます。

Q 8 コーンビルというところで実際にコンタクトがされるという情報を何人かの人が得ているんですが、どんな惑星の人とコンタクトがあるんでしょうか？

バシャール この時期に行われるコンタクトというのは、だいたいプレアデス星から来る人達です。プレアデスの人達は人間に一番近い存在ですね。家族であり、親類であるんですが、一番血のつながりが強い、直系なんです。
地球人とプレアデス人とは同じところから発生しています。今、その家族が一緒になろうとしています。私達のひとつの使命というのは、地球人とプレアデス人が一緒になることをサポートすることです。家族としての同窓会ですね。その同窓会を作り上げることによって、他の文明と交流する準備ができるということです。

Q8 アッシターコマンドという存在があるのですが、そこのグループについて聞かせてもらえますか。あなた達はそれと関係があるのでしょうか?

バシャール 私達は同じような宇宙連盟というところから来ているんですが、私達と直接的には意識レベルの交流はありません。

アッシターコマンドというのは別の文明から来ています。似たような文明なんですが。どういうことかというと、みなさんの未来の姿なんです。未来にはそこと意識レベルが同じようになる、未来が過去に対して話している感じです。

もしくは、エンジェリック、天使的なレベルというのがあるのですが、そこの波動に近い人によく話しかけます。

ただこのグループについて話すとき、地球上では非常に宗教的なものと結び付けられています。天使的な部分ですね。私達でいえばレベル10のところにいる、いろいろなグループがその意識です。他の宇宙、そしてこの宇宙を通り抜けてきている意識です。彼らの目的ももちろん、この地球の変革を助けるということです。彼らはそれに集中して働いています。どうでしょう。

Q 8 どうもありがとう。

バシャール そして、あなたのサービスにどうもありがとう。

Q 8 グレートホワイトブラザーフッドという意識レベルのグループがあるんですが、ほかの惑星の宇宙人とはどんな関係なんでしょう。

バシャール こういういい方をしたいと思います。彼らはみなさんのエネルギーに直接的に混ざっています。もっと簡単な俗っぽいいい方をするなら、私達はあなた達の未来です。みなさんの未来の姿というものを、私達が象徴しています。ちょうど三角形を構成しているものがあるんですが、地球とエササニそしてみなさんがシリウスと呼んでいる惑星との三角形です。グレートホワイトブラザーフッドというのは、そういうものの包括的な意識、それぞれに違うものを全部包括している意識から来ています。時期によっては土星や木星を通して意識を送ってきます。別にその惑星に生物がいるといっているのではありません。すべての惑星、すべてのものは、違う周波数帯に同時に存在しています。みなさんは、同じところでもまわりの人と仲良くできていないのにと思うかも知れませんが、違う周波数レベルではグループ、チームとなって働いています。

ただその周波数では、みなさんが普通考える肉体でということではありません。あなたが住んでいるところに具体的にメッセージが来ていますね。私達の所から来て、最初にいろいろやったのが「純平面現実」「宇宙と宇宙の間」宇宙の隙間の状態、E．T．のE．T．という状態ですね。

カプチーナと呼ばれる形で地球には出てきます。半分形があったりなかったりしますが、こういう地球上に自分の体を持ってくることができます。

わかりましたか。

Q　8　それと、地球の内部に住む人達とどういう関係があるのでしょうか。

バシャール　地球の内側に住む人達というのは、やはり違う周波数帯に住んでいます。みなさんの住む物理的な次元にはいません。
そして一般的にいえば、今まで地球上に住んでいた、いろいろな文明のすべての波動がそこにあります。中に住んでいるというのはこれも象徴的なんですね。我々の中に、地球の中にいるわけです。
グレートホワイトブラザーフッドや私達は地球の外にいます。こういういい方もできます。これは正確ではないかも知れませんが、地球の内側にいるものは、グレートホワイトブラザーフッドの内の状態、心のですね、そして外は外。どちらにしても、このひとつの大きな光、それがあなた方を守って、サポートしてくれています。そして、その一部です。

Q 8 一九八七年八月十七日には地球にどういうことが起きるでしょうか。

バシャール 大きなパーティーが行われます。タイミングとしては、非常に大きなゲートを迎えます。なんでも起き得ます。個人個人でそれを否定的に受け止めるか、肯定的に受け止めるかは勝手ですが。破壊的に見るか、それとも何かいいものが出てくると見るか。その十七日、自分がゲートを通るとき、自分自身の心持ちでそれを決めます。
でもこの惑星全体のエネルギーからいえば、ほんのちょっとした感じです。
みなさんの波動がどこら辺にあるかによって、その流れに乗ることができます。
どうでしょう。

Q8　今はそんなところでけっこうです。
ありがとう。

バシャール　どうもありがとう。みなさんのいわゆる時間があまり残っていません。
もうひとつだけ短い質問をお願いします。

Q9　すべてこの世は自分の選択で動いているということはわかりました。
今私がこの世に生まれてきて、日本人で、しかも男で、しかもハンディキャップがあるという選択はどこの時点で行われたんでしょうか。それはどういう意味を持っているんでしょうか？

バシャール　この肉体を持って生まれる前、自分自身をそういう制限の中にはめることによって、強さをみんなに示すことです。

あなたはこの世界で、何回も生まれ変わって自分に課するような制限を、この一回の人生でやっています。ですからこの人生がバランスを取る人生となることができます。そして自分を一番変革できる人生です。

自分の力を、こういうことを通して見せることによって、自分のまわりにいる人よりは本当の意味で制限をなくしています。

そういう強さを見せてくれて、私は本当に感謝しています。

今までと同じように自分のハートを、心臓をより強く動かしてください、そしてその情熱をみんなに見せてあげてください。

あなたの愛する鏡としてみんなに見せてくれることによって、まわりの人にたくさんの強さと愛を見せてあげることができます。

あなたの光に感謝します。

Q9　どうもありがとう。

バシャール　今この時、みなさんひとりひとりに、そして集合的にみんな全部に、私達の一番深い信頼と愛を贈ります。

皆さんの意識をここに持ってきてくれて、どうもありがとう。

そして同じ夢を分かち合ってくれてどうもありがとう。


目を覚まして、そして夢を見てください。

目を覚まして、そして自分の見たい夢を見てください。


そしてみなさん、本当に興奮に満ちた人生を送ってください。

それではおやすみなさい。

3

1987年5月17日

バシャール　みなさん、お元気ですか。今の気分はどうですか。

それでは、今日はひとつのアイディアから始めましょう。

みなさんが自分自身で経験している人生というものは、すべて自分に責任があるということからお話しましょう。

人生というのは、すべて自分自身で創り出しているということについてです。

あなたのまわりで起きているいろいろなことは、あなた自身が創り出しているということです。

これから話すことはみなさんが哲学と呼んでいるもののように聞こえるかも知れません。自分のまわりの物理的な世界をどのように創りだしているのか、現実を創っているのかということを実際的なレベルで見ていきます。

皆さんの中にすでにあるパワーを、私達が鏡のように反映してみなさんにお見せします。

私は「どうだ、私の方がすごいだろう」ということを見せに来たわけではありません。私達よりみなさんが劣っているということを見せに来たのでもありません。

私達は皆さんが、すべて私達と平等だと気がついて欲しいためにここに来ました。

答はすでにみなさんの中にあるんだということを思い出していただきたいんです。

「自分は必要な時に必要な答を取り出すことができる」と思い出す助けになればと思います。

みなさん方の質問はとても素晴らしい。ただ思い出していただきたいのは、質問というのはすでに答だということです。その答を自分の中ではなく、外に見ようとしているだけなのです。質問がある限り、答はもうすでにどこかに存在しています。

地球では何万年もの間、自分からいろいろなものを区別し、区分けするという作業を行ってきました。それによって、答と質問、というもののつながりを見失っている部分があります。

現在、ニューエイジと呼ばれているものは、すべて自分の中で分離しているものを統合し、ひとつにしていく過程なんです。

これからは、もうすべての考え方を、これはこうだ、あれはああだといって別のコインロッカーに入れるようなことはしないでください。

みなさんの中でいろいろな違うレベルに従って敷地を創ったり壁を創ったりしていたものをみんなどけて、今まで分離させて考えていたものを、またひとつに混ぜて統合していく。そういうことです。

みなさんがそういった意志を持ってくれてどうもありがとう。そのことに感謝しています。

みなさんがそういう意志を持っている間、私達はどんどん、どんどんみなさんに近づいて行くことができます。私達の文明とみなさん達の文明が顔と顔を合わせて分かち合う時期がすぐに来るでしょう。

ひとりの人が自分の意識を完全なひとつの存在として受け入れられ、そして機能できるとき、この地球全体がひとつとして機能することができます。地球が、完全なひとつとして機能できるとき、地球以外の他の文明とも、ひとつの機能として、対等な立場で付き合うことができます。

何かみなさんの所では、このようなことが信じられているようです。

「ひとつになってしまうと、個性がなくなってしまう」そういった観念があるみたいです。

本当はまったく逆です。もうすでに個人の中にいろいろな囲いというのが存在しています。そして、自分の中の個人の個性の面がひとつに統合された時、ひとつの個人として、一番完璧に寄与することができます。

それを少し規模を大きくして着えてみると、地球上にいるすべての人達が、この地球という大きな意識のひとつひとつの個性の一面を表していることになります。その一側面がみんな平等に対等に付き合うとき、初めて地球とひとつの存在になります。

みなさんが時間を創って、そして私達と交流してくれる機会を創ってくださったことに感謝しています。みなさんはいわば大きな水晶の側面です。そして、ひとつひとつの面が本当にユニークな個性を持っています。

その全部がひとつとなったとき、そこからもっと多くのことを学んで、もっと創造的になることができます。

私達にとってもこのような交流は贈り物になります。その皆さんにお返しするということで、私の方ではどのようにお役に立てるでしょうか?

Q1 ひとつは子供を生むということの意義、母親、父親としての子育ての役割について聞きたいのですが。

バシャール どうもありがとう。子供を生むこと、それをも含めてあらゆる人間関係というものは、すべて同意された上にあります。その魂が、自分を通して生まれて来るということを、生まれる以前からお互いに同意しています。それは自分の肉体が始まる前にテレパシーを通して送られます。

基本的なあなたの子供を育てることの役割というのは、次のようなことです。二人はもうすでにつながっている部分があります。その中で二人が鏡となって、お互いが学ぶことをお互いに見せ合っています。

父親、母親というのは、子供がなにかこれから自分でいろいろなものを開拓していかなければいけないというときに、安全な雰囲気を創り上げてあげます。

同意というのは選択にもとづいています。親も選ぶし、子供も選びます。そしてほとんどの場合、親子というのは、前世でも親であったり、子であったり、お兄さんや妹であったり、親戚であったりします。

たくさんの違うやり方で、お互いが交互にダンスをするように代わる代わる役割を演じます。子供が一番表現で学べる、一番いい雰囲気を創るには、親も本当に自分自身になることです。

自分で知っている限りの自分自身に百パーセントなってください。それによって一番子供に奉仕できます。

特に最近の時代は、子供が親の方にいろいろなことを教えています。

どういうことかというと、大人も子供のようにいろいろなことをやってもいいんだということを教えることがある、ということです。
親の方は、子供が自分の道を探して出て行くまで、適当に方向づけをする、そして、子供は自分でやって行くことができます。
自分が子供にテレパシーを通して、どういう情報を与えているのか、ということに気づいてください。あなたの恐れは子供に伝わります。そうすると恐れている人生を送ります。
あなたの無条件の愛と、そして信頼があれば、子供はそれも感じます。

Q1　直接、子供に話せないと思っても、夢の中で話すことができます。夢の中では、みんな同じことなのです。これでよろしいですか？

充分です、バシャールどうもありがとう。

バシャール　分かち合ってくれて、どうもありがとう。

Q2　バシャール、この間はありがとう（十四日公開チャネリングQ9の人）。

バシャール　あなたは非常に強い戦士です。

Q2　私の前世はどんな人か、その人のエネルギーはどういうエネルギーなのか、私がこの世に生まれてどのようなエネルギーを伝えていったら良いのか？

バシャール　あなたは今生において、ある意味で、本当の光のエネルギーをまわりに放っています。あなたが戦士だといったのは、あなたは何回も戦う戦士だったからです。あなたは以前は戦上として、まわりの人にいろいろやってきましたが、今生ではもうそういったことをやる必要がなくて、こういう状態を選んでいます。そして、ある意味では前世でいろいろまわりの人たちにやってきたようなものを、自分自身に課して、そこで、バランスを取るということをしています。私がここで本当に注意をしたいのは、今ここであなたに、罪悪感を感じたり、痛みを感じたり、悔やんだりしてもらうことではないということです。もうすでにあなたに伝えたように、何回も何回も繰り返して、その中でバランスを取っていくのではなくて、今回この一回でそういうもののバランスを取るために、わざわざ一番きつい状態を求めて生まれてきています。

あなたのその勇気をたたえます。このことをもってたくさんの血を塗り変えてください。ただ覚えておいて欲しいのは、今回はその血があなたの中を流れていて、そしてあなたを悟りへと導くということです。ありがとう。

Q3　日本にいくつかのピラミッドがあるといわれています。そしてエジプトをはじめ、アメリカ、ヨーロッパなど世界にあるものと、ひとつのシステムとして、ネットワークしているということを聞いたのですが。

バシャール　エネルギーシステムといって、エネルギーの網を創っています。

Q3　なんの目的で、誰によって創られたのでしょうか。

バシャール　ものによって違う時代に創られています。ピラミッドの中で電磁波のエネルギーを集中し、そしてアルファアゼーションを上げて、それによって地球全体の波動を整えたりしています。

一番古いものは、悟りの寺院のようなもので、意味はありません。

多くのものは、アトランティスとムーの時代にできています。それからいくつかのものは、宇宙から助けを借りて造られています。

そして、そのピラミッドは電磁波に対するレンズの役割を果たしています。

ピラミッドの中にいて、そういう波動に共振させることによって、自分の中のエネルギーをひとつに統一させることができます。

ピラミッドの中に座っている人は、他のピラミッドの中に座っている人と、テレパシーを通して話すのが簡単になります。わかりましたか？

Q3 ピラミッドに関して、今アリゾナのセドナというところが、UFOが出るということで有名なのですが、私は友人からもらったそこの石を持っています。それが非常に不思議なエネルギーを持っているように感じるのですが、どういったものか教えてください。

セドナ・ボルテックス・ストーンという名の石なのですが。

バシャール 非常に電磁的に強力なエネルギーポイントが、そこにはあります。非常に活発です。ちょうどエネルギーポイントというのは、こういう見方ができます。

この世界から別の次元、別の世界への通り道で、そこに一本の紐が降りている、そんな感じです。

ですから、私達の宇宙船がやってきて、あなた達の地球に入りこむような時に、一番抵抗なく入りやすい地質でもあります。

その石から感じるというのは、エネルギーポイントでのいろいろな電磁的なエネルギーが石のなかに入っているからです。

あなたの普段の地球の波動から感じると、ちょっと変な波動に感じます。

いいですか？

Q 3

この間の・・・(会場がざわついた感じになる)。

バシャール

ちょっと待ってください。

みなさんにいいたいのですが、誰がどんなことを聞こうと、みなさんがここにいるのは偶然ではありませんから、自分自身に何かあてはまるものがあります。

他の人が話しているとき、絶対に自分に合いそうになかったりして、まったく違うようなレベルでしか応用ができないかも知れません。

でも、ここにいるということは、何かそれをする、聞く必要があるということです。ここにいて、何かを体験しているという経験は、必ず自分にも関係があるということです。

そして、退屈な状況というものはまったくありません。退屈なマインドというものはあります。すべてどんな質問をしていても、どんな人が質問していても、どんな人が、何を聞いていても、必ずあなたが学ぶものはあります。

Q3 この間のチャネリングでおっしゃっていたことですが、現在エネルギーレベルが高まっている、と。私自身もそれを感じています。

たとえば、アメリカのニューエイジムーブメントとか、今の日本の新興宗教、オカルトブームとか、世界で同時進行のように起こっている事態ですが、エネルギーレベルが高まりつつあるという結果としてそういうことが起きているんでしょうか。

バシャール それはあなたが変わってきているからです。それによって、エネルギーがどんどん高くなって、またさらに自分が変わっていきます。

エネルギーというのは、結局はあなたのエネルギーから始まります。みなさん自身が、無限の創造を、共にしています。

Q 3　これからそのエネルギーは少しずつ上がっていくんでしょうか？急激に上がっていくという時期がこれから来るのでしょうか？

バシャール　ゆっくりとしたものですが、ただ段階的にボンボンと上るときもあります。どういうときに急激に上がるかというと、地球上の何人かの人達がまとまって、その人達の意識が変わるとき、そういう「シフト」が起きます。各個人個人、違う人達は違うスピードで進んでいます。ゆっくりの人も、早い人もいます。ただ、全体的に平均してみると、だいたい一定した速さで上がっていきます。

今まで、四十年くらい加速を続けてきましたけれど、あと三十年ぐらい加速が続きます。これからの三十年間で、いろいろな変化が起きて、より以上に急激なシフトがやってきます。いいですか？

Q3　どうもありがとう。

バシャール　エネルギーにあなた自身を加えてくれてありがとう。

Q4　こんにちはバシャール。お会いできてうれしいです。

バシャール　私達のハートとあなたのハートと分かち合えてうれしいです。

Q4　バシャールがいっている、自分の中に答があるとか、自分が神だということをもっと詳しく知りたいんです。そして、今の私に対してなにか助言がありましたらお願いします。

バシャール　あなたもこの無限の創造主の一部分だということを知っていますか。

Q4　知っています。

バシャール　どういうふうにそれがわかるんでしょう。どういうイメージでそれがわかっているんでしょう。

Q4　なんか感じるんです。

バシャール　じゃあ、それは自分で疑いもなくわかっていますね。

Q4　ううん、・・・・(笑)。感じるんだけど、信じられない自分がいて。

バシャール　何か特別に、こういう部分が信じられないという所はありますか。具体的に。

Q4　・・・・・・・・。

バシャール　私は待ちます。

Q4　どこかではなくて、本当にそうなんだろうか?

もし、そうなんだとしたら・・・。

バシャール　そうなんだとしたら？

Q　4　もしそうだとしたら、何か自分でやっていることが違うのではないかとか。

バシャール　違うとか、正しいとかは何もありません。
ただ自分の持っている、真の波動を今行っていないかも知れませんね。
今、やっていないことで何をやりたいですか？　今やっていることでどういうことをやりたくないですか？　自分のもっている中でどこが間違っていると思いますか？

Q　4　うーん・・・・・（会場、笑）。
別にそういわれると、いいとか悪いとかはないと感じます。

バシャール　自分の中で葛藤しているのはどういう部分でしょうか。

全体的に見れば、正しくも、間違ってもいないのですけれど、もう少し細かく見ると、自分の中で統一性をもってできていない部分というのはあると思います。肯定的なエネルギーと否定的なエネルギーがあります。

私達は、正しいとか間違っているといった観念は使わないのですが、でも、あなた自身の観念には（＋）と（－）というものが存在しますね。

正しい、間違っているというのは、自分の主観的な見方だけによるものです。自分で否定的なことをやって、それが正しいんだ、自分はこれが必要なんだと思っている人もいます。

肯定的なことをやりながら、これは間違っていると思うこともあります。ですから、特にこの二つには関連性というものはありません。

否定的なものというのは、簡単にいうと、なにか物を分離するもの、区別するもの。そういうエネルギーです。そして抵抗が起きるようなものです。

肯定的なものというのは、ひとつに融合するもの、統合するもの、自分自身の統一性と、自分の真実がそのまま出るものをいいます。

間違っていると思うものはなんでしょう。自分でこういうものをやりたくないと思っているものはなんでしょう。それとも、今やっているけれど、これはやりたくないというものはなんでしょうか。
今いっていることもすべては、あなた自身が神の一部であるということに、本当は深い関連があります。あなたの答はなんでしょう。

Q 4 やりたくないことをやっている時にすごく否定的なものを感じます。

バシャール じゃあなぜやるんでしょう。

Q 4 がんばらなくちゃいけないとか、一生懸命やらなくてはいけないというのが自分の中にあります。

バシャール がんばらなくてはいけませんか。つかれませんか?

Q 4 くたびれる。

バシャール なぜ社会が要求するからという理由だけで、がんばらねばいけないと思うのでしょうか？

Q4　そうね（笑）。

バシャール　もしそういうものが社会から来ていて、自分自身のものからではないということがわかったらどうしましょう。

Q4　その部分、その答が欲しいのだと見ています。

バシャール　今やっていることより、もっとワクワクすることはなんでしょう？

今最もやりたいことはなんでしょう？

あなたが、答える前に、自分の頭の中で考えている間に、これは社会で決まっていて自分はこんなものやりたくないんだから、こんなものはやらないんだと、ただ否定することはやめてください。

今やりたくないんだけど、やっているものをあまり考えないで、今は頭を楽にして自由に想像してください。

今なにをしたら一番ワクワクするでしょうか？
なにをやったら一番ハッピーでしょう？

Q 4　私はいろいろな動物達と一緒に生活しているのがワクワクします。

バシャール　動物と一緒に住むんですね。
動物と一緒に住むことを職業にすることを想像できますか？
誰かそういう動物と生活してそれが仕事になっている人を知っていますか？

Q 4　はい。知っています。

バシャール　じゃあなぜやらないんですか？

Q 4　仕事でなくても、そういう生活をこれからしようと思っているし、できると思っています。

バシャール　今、仕事というふうにいうのではないんですが、自分でやりたいことをやれば、そしてそこからお金を得ようとすれば、おのずから入ってきます。なぜなら、自分のやりたいことをやっているとき、必ずまわりが自分をサポートしてくれて、自分に必要な豊かさが入ってくるのです。
ほかの人から見て、あの人はあれを仕事にしているんだと思うかも知れません。でも自分自身はぜんぜん仕事をしている感じがないんです。
なぜなら、そういうふうにしていると、もう楽しくて楽しくてしょうがないんです。自分自身が、自分自身に一番楽しいことをしてあげているとき、それを仕事だとは思いません。わかりますか？

Q4　わかります。

バシャール　自分自身が一番楽しいことをしているとき、それに必要なものはまわりから自然に寄ってきて、そしてあなたをサポートするように働きます。それをやっているときが、あなた自身が一番出ているときなんですね。まわりを引きつけます。
あなたが自分のことを「こういう人だ」といったら、宇宙は必ずあなたをサポートします。もしあなたが「私は人生を、苦しく苦しく、努力して努力して生きていくんだ」と信じていたら、宇宙はそれも与えてくれます。

「そうかそうか、じゃあがんばるこういう材料を与えてあげよう」と。

もしあなたが、「私は非常に楽に、自然になんでも手に入れていいんだ」「自分は喜びを感じていていいんだ」と思って生きているのなら、宇宙はそういうものを与えてくれます。ですから気をつけてみてください。

宇宙は常にあなたの欲しいものを与えています。それをしていないときは、まったくありません。

私達は普段、「自分はこれくらいだったら手に入れられるだろう」と思うことによって、自分が欲しい、ものを決めています。

ですから、「私はこれをやりたいんだけども、社会は認めてくれないからやめよう」と思うと、宇宙はそのレベルでしか与えられません。

「これはやめた、これが本当の自分だ」といえば、宇宙はそれに対して百パーセント与えてくれます。例外はありません。あなたも例外ではありません。どうでしょう、役に立ちそうですか?

Q 4　今まで動物と暮らしたいというのは、自分の中で夢みたいな感じだったんだけれども、それがすごく実感として感じられるようになった。

バシャール　無論それは夢なんです。でも現在のあなたの生活も本当は夢なんです。社会では、物質的な肉体をもっているこの世界が現実だというふうにいっていますが、これも本当は夢なんです。すべての夢も現実です。すべての現実は夢です。あなたも創造主のイメージで創られました。ですから自分で夢を見るものは現実となります。ただ、あまり自動的にやるので、あなた自身は自分を忘れるという才能すら創り出しました。わかりますか？

あなた自身が夢の中の自分であるような、振る舞い、行動をより多くすればするほど現実がそれを真似してきます。

では、質問したいんですが、いいですか？

夢の中の自分が今の自分だとしたら、今の人生はどうでしょう。自分の振る舞い、行動は違うでしょうか。そういう生活を送っている人だとしたら、今現在、自分のやっている生活と違うことをやっているでしょうか？

イエスでしょうか、ノーでしょうか？

Q４　自分がやっていることでしょ？

バシャール　簡単にいいましょう。

どっちの自分がハッピーな自分でしょうか？

今の生活か、動物達と暮らしている自分でしょうか。

Q４　動物達の方。

バシャール　もしくは、これが自分だと信じることができたら、どうして人生をこうして歩いて行かなくてはいけないんでしょう？　わかりますか？

自分がすでに動物達と暮らしている人間だということを感じとることができれば、それだけで、その波動をまわりに送り出します。それによって必要な人が引き寄せられて来ます。

自分の人生の中で簡単に使える原理があります。

みなさんは原因と結果は別のものだと教えられてきました。みなさんは、結果が出る前には原因がなければいけないと教えられてきました。でも、本当はそうである必要はないんです。

みなさんは直接的な時間を使っています。一本の線につながっている時間を頭の中で使っています。

私達が観察したところによると、みなさんの文明でよくやるのは、幸せになる「理由」を探して人生を歩いて行くんですけれど、それが見つからないと、幸せになってはいけないと思っている、ということがあるようです。

でも理由がなくても幸せになっていいんだとわかれば、もうその結果だけを自分で得ることができます。

本当は理由はいらないんですね。ここが重要なところです。原因と結果は本当はひとつの出来事です。別なものではないんです。

原因があれば、必ず結果があります。そして、もしみなさんが結果を得たいのなら、結果を創らなければなりません（原因を創るのではなく）。宇宙というのは、その創造の中に真空の状態を創ることはできないのです。

ですからみなさんがある種の結果、自分の人生、もしくはある種の結果の波動を〝最初に〟創り出したとしたら（自分の人生を本当に幸せにしてしまったら。もちろん幸せにしない理由はないですね）、みなさんが勝手に結果を創り出してしまったわけですから、宇宙はその後で原因を創らなければなりません。

つまり宇宙が原因を提供してくるわけです。

みなさんが自分で運転席のレバーを握ってください。自分がこうなりたいと思う自分を、もう、今の自分だと信じれば、本当にそれが自分だという立ち振舞いができます。

そうすると、そういう人がやるようなことを自然にやります。その人がやらないようなことは、自然にやらなくなります。

そういう結果を〝最初に〟創ることによって、その原因になるべき人達、状況が、自然に寄ってきます。動物達と生活するのが好きな人達は、そういう人、もしくは状況を引きつけてきます。なぜならそれがあなただからです。

そういう感じで生きているとき、自分が今現在にいるとき、あなたをそういうふうにさせてくれる状況とか人を引きつけます。

二つ目の大切なポイント。

一番最初にやってくるチャンスというものは、自分がやってみたいと思っていることと全然つながりがないように見えることがあります。なぜなら、すべての表面的なシンボル、象徴的に見えるものというのは、ただの経過でしかないからです。

すべての表面的なシンボル、象徴というものは、特に最初から決まった意味を持っていません。その時の自分の感じによって、それが間接的に自分の本当に行きたい方向に連れて行ってくれるのか、くれないのかを感じ取ってください。

自分はもう動物達と一緒に住んでいるんだという、その人になりきって町を歩いていると、どうやったら動物達と一緒に暮らせるようになるのかという考えが全然頭の中になくても、なにかワクワクするような気持ちが起きたとします。そのワクワクした気持ちが、あなたに知らせてくれます。

こっちに行けば最終的には動物達と一緒になれて、今の自分がまた取り戻せるんだ、と。ワクワクした気持ちが、その信号になります。

エキサイトメント、ワクワクする、興奮する気持ちが、自分が本当に行きたい所を見つけさせます。本当の自分を見つけさせてくれます。

わかりますか?

Q 4 わかります。

バシャール 他の人もわかりますか?　どうでしょう、使えそうですか?

Q４　はい。
もうひとつ。今生での私の役割を知りたいと思います。

バシャール　今、話した通りです。
今のあなたは今回しかありません。ですから、自分の今生を百パーセント生きるということが、誰にとっても一番の目的となります。それだけです。

Q４　あっけなくて・・・でもわかりました。

バシャール　みなさんの社会で一番、害になっているのが、「簡単すぎてはいけない」という考え方です。皆さんはそれを証明することもできます。
私も百パーセント保証します。今いったように自分でワクワクすることをやってみてください。必ず簡単になんでもできます。
みなさんが社会でいろいろ学んできたこととまったく関係なく、童話の世界の中で聞いてきたような生き方というのが、本当は、この自分の人生の生き方だったんだということがよくわかります。

私自身はこのことを信じています。なんでも、物事はすべて「シンプル」だということです。私の人生というのは常にエクスタシーに満ちた、常に爆発しているような、そして人と調和の取れている人生です。

あなたはなにを選ぶでしょうか？　答になっていますか？

ありがとう。

Q　4　ありがとうございます。

バシャール　動物によろしく伝えてください。

Q　5　こんにちは、バシャール。お会いできてうれしく思います。
まず、私にテレパシーを送ってきていた源は、なんだったんでしょうか。

バシャール　どんな情報を得ましたか？

Q　5　たくさんあるんですけれど。

バシャール　あなたの役に立ってますか？

Q5　非常に役に立っています。

バシャール　どういうふうに役に立ちますか？

Q5　これからどうやって生きていこうかとか、何の仕事をしようかと悩んでいたときに、「人の役に立つようなことをしなさい」というメッセージを受けたことがあります。

バシャール　あなたは、自分の「大いなる自己」ハイヤーセルフと話しているだけです。あなたは、自分でそういう洞察、知識、そしてそういう素晴らしい自分を持っています。あなたは自分をチャネリングしています。自分で普段思っているより、もっと大きな自分の部分ですね。わかりますか？
別に他の意識とコンタクトしていないということではありません。自分の中にある、より大きな部分と融合することによって、自分自身が、「大いなる自己」となれて、そういう場所から行動を起こせるようになっているということです。

すべての人がこの能力を持っています。私達はこのように、それを見せることによって、私達をもう必要としなくなるように、ここに来ています。

私は、自分でこういう仕事をしながら、早くクビになるのを待っています。

みなさんがそれをほぼ瞬間的に、しかも常にできるようになった時、私達は顔と顔を合わせ、対等に話すことができます。それが私達が一番望んでいることです。

どうでしょう。


Q 5 よくわかりました。

今まで何度かＵＦＯを見たことがあるんですが、その中でも特に印象に残った三つのことについて聞きたいと思います。

一番目は、一九八〇年十一月、砧公園で見たものについてです。

バシャール どんな感じでしたか。

Q 5 オレンジ色ので、楕円形をして、光っていました。

バシャール　それはア・ツーラスと呼ばれる、エネルギーの集合的な意識の光です。
他には。

Q5　一九八五年四月、京都でたくさんの光、UFOかどうかわからないんですが、不思議な動きを・・・。

バシャール　確認されていなければ、すべてUFOです。未確認ですから。
確認されたらIFOになります（笑）。
どんな感じでしたか？　教えてください。

Q5　たくさんの光の乱舞を見ました。

バシャール　それにいく前に、三つ目は何ですか。

Q5　一九八七年四月、グァム島で見ました。
それも光でしたが、星ではないという確信を持ちました。

バシャール　それの中のいくつかは、プレアデス、いくつかはシリウス、いくつかはイティキュラム、です。

あなたがそれに気がついたように、向こうもそれに気がついています。

そして、いろいろな違う文明の人達がそこに来て、パッと立ち止まっては、あなたの存在を祝福しています。

みなさんがUFOを見るとき、この三次元世界で見ているのではないのです。意識が別の次元にいって、その映像を受け取っています。わかりますか？

役に立ちますか？

Q5　はい、ずっと知りたいと思ってましたので。

バシャール　では今の情報を得てどう使いますか。

Q5　もうじき、直接いろいろな、有益なメッセージをもっと有効に現実の生活に役に立てることができます。

バシャール　ぜひそれをやってください。それによって地球上の人達が、自分のパワーを本当に自分のものとして使えるようになり、地球上がもっと良くなります。
みなさんは、だいぶ長い間この地球上にいますけど、みなさん自身も、宇宙人的な、よそもののエネルギーを持っています。みなさんはスライダー（転生してきたもの）なんです。宇宙の中をツルツル来る人達です。違う意識のレベル、違う次元を抜けて来ます。ナイフのように。

Q5　映画「未知との遭遇」のように、いっぺんに大勢の人達が、かなり公に宇宙の人達と出会うような、歴史に残るようなことは、いつやってきますか？

バシャール　だいたい三十年ぐらいで、ほとんどそうなるでしょう。

でも、いろいろな個人に関して、常に完璧なタイミングでやってきます。

みなさんの政府は、もうすでに私達の存在を知っています。段々そういった情報も出てきます。すべてうまく収まってきつつあります。

自分自身の人生を、「今」生きてください。その時、時間は本当に飛んで行きます。現在の自分を生きることによって、私達とのコンタクトが、もっとより簡単に起きるようになります。わかりますか？
はい？　いいえ？　まあまあ？

Q5　・・・・・はい。

バシャール　本当にわかってますか？　本当に？

Q5　はい。

バシャール　ＯＫ、スライドを楽しんでください。

Q6　こんにちは。この世に生まれて来た以上、みんな幸福を求めるんだと思いますし、当然経済的にも、精神的にも、肉体的にも、社会的にもいろいろな満足を得るために生きているんだと思いますけれど・・・。

バシャール　すべてにつながっています。関連があります。今いったことを忘れることはできません。

Q 6 それなのになぜ戦争の存在とか、病気とか、精神的な錯乱とか、この世にいろいろある幸せを感じるのにマイナスの要因ですね、たとえば、さっき・・。

バシャール ノーノーノー、幸せに対して、否定的な要素というのはありません。

不幸せなものに対しては、否定的な要素はあります。

幸福と幸福でない状態というのは、今いったような形でつながっている必要はありません。

自分自身が誰だか忘れてしまって今のような世界の状況が起こっています。

自分自身の中にある力を見つけることが怖くて、こういうことが起きます。

自分の中にパワーや、それをコントロールする力があるんだということを認められなくて、なんとか外のものを変えることによって、それを確認しようとします。

自分の中の力を、自分から離して外に見ることによって病気というものが起きます。今、いったことは全部関連しています。

今いったものは、本当はこの地球上に存在する必要はありません。

幸福になるのには、幸福になる道を自分で選ぶ、選択するだけです。

不幸になる道を選ぶ代わりに幸福になる道を選ぶだけです。

一生懸命努力してやるということが、幸福につながる、ひとつの方法があります。

努力して努力して、もういいかげんくたびれて、努力することを選ばなくなると幸福になるんです。

非常に簡単です。自分で幸せを選ぶとき、すべてのまわりで起きていることが、幸せな出来事になります。

幸せになるのに、自分は努力をしなければいけない、自分は幸せになる価値はないんだ、と思うとそうなります。

今までこの社会では、もう何千年も何万年もいわれてきたみたいです。

「自分でなにかよいものを手に入れるためには、苦しまなければいけない」と。

今まで質問した人の声を思い出してください。みんな言ってませんでしたか、

「えー、そんなに簡単？　ちょっとおかしいんじゃない」「ちょっとくらい、努力しなければいけないんじゃないですか？　バシャール」と。

答は「ＮＯ」です。

Q6　いっている意味はわかるんですけれど、でも自分は何に対しても猜疑心が強すぎて、自分でも嫌になるときがあるんですけれど。

バシャール　自分でも嫌になるんですか？
疑うから、猜疑心が強いから自分を嫌になるんですか。

Q6　えーそれでもですね、たとえば生まれながらにして、選んできたとはいえ・・・。

バシャール　みなさんは自分の一般的テーマを選んで生まれてきます。それをどうやって自分で体験していくか、肯定的に、否定的に体験していくかは自分で選びます。

毎瞬、毎瞬ですね。それは常にあなたに開かれています。

わかりますか？

自分の一般的なテーマを選びますが、でもそれをどういうやり方でやるかは、いつでも自分で決められます。

二種類の自由意志があります。

自分の「大いなる自己」の自由意志と、自分の肉体の自由意志です。

自分の肉体の方の自由意志というのは、どうも運命で決まっていたり、形が決まっていると思いがちなんですが、「大いなる自己」の方は一般的なテーマしか選びません。選択しません。

自分の今までの前世を全部考慮に入れてそういうテーマを選びます。現在までにいろいろな、前世のバランスを取る。そのたびにテーマを選ぶのですが、そのテーマをどういうふうにやっていくかというのは、肉体を持った、その自由意志が決めていきます。

こんな感じでいえると思います。穴が開いていて、トンネルのようなものが自分の人生の始まりから終わりだとします。このトンネルの入り口から、出口まで、生まれてから死ぬまでを歩いていくのは、みなさんの運命です。

みなさんはそこを歩いていきます。

でもそれを、いかに向こう側までやっていくかというのは、みなさんの現在、肉体の意志を持って決めることができます。走っても、歩いても、這っても行けます。前にも後ろにも行けます。友達を連れてみんなで行くこともできれば、ひとりで行くこともできます。

悲しんでも、ハッピーでも行くことができます。泳いだり、飛んだり、逆立ちしても行けます。まっすぐ向こう側に行くこともできれば、途中、途中にある扉を全部開けて行くこともできます。

どういうやり方であれみなさんは、ちゃんと向こうまで行きます。

ひとつだけ例外があります。みなさんの言葉でいえば、「意識的な自殺」です。「意識的な自殺」というものは、そのトンネルの向こうに目が眩んでいくものですが、オリジナルの、一番最初の理由には反するものなんです。

ですから、一番初めに決めたものと、逆行することになります。

自殺をしたときには、自殺の過程でも否定的な想念が残りますが、だいたいすぐまた、一番最初に始めたのと、同じ所に戻って、同じような人生を生きることになります。

無論、すべての「死」というものは自分自身で選んでいますから、そういう意味では同じです。ただひとつ、普通に死ぬというのは、そのトンネルを向こう側に歩いていっていることになりますが、自殺というのは、そこから逃げて行くことになります。どうでしょう、今いっていることは面白いですか？　あなたの役に立ちそうですか？

Q 6　大変面白いです。死というのはどういう意味なんでしょう。今までこの世での結論だと思っていましたが。

バシャール　そういうふうに見ることもできますが、その移り変わって行く途中ともいえます。また別のライフスタイルの始まりです。無論、死というのはそれで終わりではないですね。みなさんはどちらかというと、ひとつのつながった時間で、話を進めています。ですから、本当の意味でいえば、すべての死も、すべての人生も、今同時に起きています。

死というものは、簡単にいってしまえば同じ家のなかの、ひとつの扉から、もうひとつの、隣の扉に行くようなものです。波動の変化、景色の変化、見方の変化です。どうでしょう、今ので答になっていますか?

Q 6　ええ、ではなぜ人の死というものには痛みや悲しみが伴うのでしょう。

バシャール　その必要はありません。私達にとってはなんでもありません。

私達が死ぬときには、意識的にそれを知っています。そして、自分の肉体から、肉体を持たないエネルギーに変わるだけです。非常にシンプルで、痛みもぜんぜんなくて、非常に楽しい体験です。みなさんにとってそれが怖いとすれば、それは恐れから来ます。その後になにが来るか、知らないからです。
死というのも、自分の人生の延長です。そうすれば怖くもありません。そして痛みもなくなります。なにも痛みを伴う必要はありません。

Q6

でも、自分の死についてはそれを感じていても、たとえば家族、父や母が死んだときとかに、悲しまないで喜んでいたら、非常に奇異に見えるのですけれど、そういう場合どのように接したらいいんでしょうか。

バシャール

それはよくわかります。
でも覚えておいてください。すべての人が、永遠の存在です。そしてどんな苦しみも悲しみも、永遠の中から見れば、ほんの小さな一滴の雨のようなものです。別にそれによって、気持ちが人の死を喜んだりして、冷たくなるということではないのです。ただ、今いったようなことを理解して、暖かい心を持って、愛を持ち続けていると、逆にそういう人達の助けとなることができます。

逆説的にいえることは次のようなことです。

どんな時にでも、どんな状況でも、必ず理由があるんだということを理解できれば、そして今自分の目の前で起きていることの理由を、自分で否定しなければ、すべての状況は、自分が学ぶための肯定的な状況となります。

それがわかると、どんな状況も自分にとって、痛みを伴った状況にはなりません。

すべての痛みというのは、精神的なもの、肉体的なものも、あなたという完璧な完全なる存在の中から、部分部分を自分で切り離しているときに起きます。

自分の人生の中で、明確なもの、明らかなものを見ようとしないとき、拒絶するときに起きます。自分の中で、なにを発見するのかということに対して恐れを持っているときに起きます。

自分の中で見つかったものも、すべて肯定的に方向づけすることができるんだということがわかったとき、なにも怖くなくなります。

恐れることがなくなったとわかったとき、すべてが喜びに満ちた状況になります。

わかりますか？　役に立ちそうですか？

Q6 役に立つけど・・・。

バシャール　考えておいてください。

それでは、この時を借りて、このかわいらしい通訳者に15分間の休憩を与えてあげたいと思います。話したければお互いに話しても結構です。

だいたい、十五分過ぎたら始めたいと思います。

（バシャールの意識がダリルから離れる）

――十五分間休憩――

バシャール　それでは今度は始める前に、ある人のバランスを取りたいと思います。ちょっと立って前に来ていただけますか（会場のある女性に対して）。もしよければ、ここに来て私の前に背中を向けて座ってください。

（彼女は立ち上がり、前に行くが、立ち眩みのように倒れる）

（何人かが彼女を支え、バシャール／ダリルが彼女の後ろにいる）

バシャール

あなたのなかで長い間、見ていなかったエネルギーをまた感じています。

自分の中でずっと押しやっていたエネルギーです。それが急に出てくる時、自分のシステムには、ちょっとショックがあることがあります。

あなたは、非常に強い人です。そして、自分の本能的な力を、長い間で初めて今日感じるかも知れません。リラックスしてください。

あなたの周りは今友達に囲まれています。ある一段階を越えようとしています。扉を抜けようとしているだけです。

しゃべれますか? あなたがしゃべるまで待っています。喋ってくれますか?

ゆっくりでいいから。リラックスして休んでください。

ゆっくりと深呼吸を三回してください。ゆっくりと・・・・。

あなたはどこも悪いところはありません。ただあなたは、今自分がいろんな場所に同時に属していることに、気づいたようです。

無論この地球に何回も生まれてきたんですけれど、あなたも私と同じように、エササニ(バシャールの惑星の名前)が将来の自分ですね。

そして、あなたも私と同じようにエササニの人が地球で生まれた魂です。

あなたの足が本当は宇宙船の床に属しているのを、あなたは感じています。

宇宙があなたの故郷だということを知っています。今そういったことにすべてが目覚めようとしていて、ちょっとショッキングな感じがしているかも知れません。でも、あなたは今まで非常に強いエネルギーで守られてきました。そういう力を、いろんな魔術的な力を、いろいろな前世で表してきました。私のために、こんな感じで息を吸って吐いてみてください。

（大きくゆっくりした呼吸をする）

平気です。今、体の中にあったものが、ここで発散されています。それによって、また中心へと戻ってきています。

今やっていることに、自分でちょっと笑ってみてくれますか？

自分がこれを、自分の力と強さを持ってやっているということも認識してください。あなたがこれを選んでくれたことを、非常に私達は愛しています。

あなたは、ちょうどこういう力を使い始める時期にきています。

ずいぶん長い間、瓶の中に押し込められていたから今こんな感じで出てきているだけです。怖がらないで。しゃべれますか？

なにも失うものはありません。今混乱があるのはわかります。でも怖がらないで。こういうふうにあなたは自分で変革をしました。そして、これは非常に強いやり方です。

私達と対等にしゃべってみてください。しゃべって。しゃべれますか？　リラックスして。

最初は、新しい赤ん坊が生まれるような、そんな感じです。自分の中の本当の強さを感じてください。リラックスして。怖いのはなに？

なにが怖いの？

ここに残っていますか？　それとも部屋を出たい？

話してくれる？　古い友達に会ったようなつもりで。私達を信頼してくれますか？

こういった新しいエネルギーにも慣れます。この感じは前から知っています。

今ちょっと変な感じがするかも知れませんが、でもこの感じにも慣れてすぐ当たり前な感じになります。今、自分の中でたくさんの扉を開けたところです。ですからいろいろなインフォメーションが入ってきます。

でも信じてあげてください。

自分の人生の中で本当にワクワクすることにそれを使ってください。

自分自身でいることによって、まわりの人の役に立つことができます。

創造的な愛を、あなたとあなたのまわりの人に与えてください。

このエネルギーを、自分の中に自然に流してあげることによって、それをどういうふうに使ったらいいかという知識も一緒にやってきます。

あなたが耳を傾けるなら。あなたのことを非常に愛しています。

あなたが自分でどうすればよいかがわかります。

あなたがそれを信じてあげれば。

こういう形で、みんなに分かち合ってくれてどうもありがとう。

自分の中から静かに優しく、このエネルギーを自分のまわりにも満たしてあげてください。自分の中に押し込めないで。自分でそれを感じたとき、ただ呼吸をしてください。自分のまわりの空気の中へ、空気を通してただ吐いてください。

それでバランスが取れます。あなたは昔、星の光などをよく使っていました。

あなたは非常にマジカルな所があります。自分のハートの中で、自分の魂の中で
それを信頼してあげてください。平気ですか。

ちょっと真似してみて。（早い呼吸を二〜三回する）

あまりたくさんやらないで、二〜三回だけ。

自分のまわりの新しい空気を吸ってみてください。新しく生まれた赤ん坊が、まわりを好奇心を持って見るように、感じるようにやってみてください。

どうもありがとう。リラックスして、そしてやりたいことをやってください。あなたは非常に愛に満ちたエネルギーにいつも囲まれています。あなたは夢の中でいろいろな情報を得るでしょう。あなたはナビゲーターです。

そして、パイロットです。今日分かち合ってくれて、そしてあなた自身をより大きなあなた自身に成長させてくれてどうもありがとう。

星の光とバランスをとるために方法を考えてみてください。もっと自然の中に、土を踏んで、自然のエネルギーと融合することによってバランスを取ることもできます。ドウモアリガトウゴザイマス（日本語で）。

それでは質問をどうぞ。

Q7 病気について質問したいと思います。
今私は健康だと思ってますし、体も心も・・・・。

バシャール 今ですね。

Q 7　はい、ずっとです。と思うんですけれど・・・・。

バシャール　後では健康でなくなる予定があるんですか？（笑）

Q 7　そうではないのですが、健康だと思っているんですけれど、去年胸にしこりを見つけました。でも今も病気だという気持ちはないんです。

バシャール　陽性のしこりみたいです。

Q 7　それをお聞きしたかったたんですが。

バシャール　もしくは自分の中で、正確な情報を与えてくれる人がいると思ったら、自分の中で一番強く思っている、そういう思いがあったら、それに従ってください。たくさんのことがどうして起きるかというと、自分の中の観念に従って起きます。そしてそれによって、本当に自分は何を信じているのかということをさらに深く知ります。わかりますか？

Q 7 お医者さんには、陽性でも悪性でもどちらにしても、切って取りなさいといわれましたけれど。けれど私は切りたくないから・・・・。

バシャール 溶かすこともできます。

Q 7 ですから食事療法で特別なものを食べています。

バシャール それも助けになるかも知れませんが、あなたにとって、それによって制限がつきすぎるのではないですか？

Q 7 でも、それはとても私が好きな方法で続けたいと思うのですが。

バシャール それならいいですよ。自分の一番強い先入観念に従って欲しいと思います。
それでは、自分自身がエネルギーだと、今、見てあげてください。
あなたはエネルギーの波動、周波数そしてエネルギーのパターンです。
自分の瞑想の中で、自分自身を、白っぽい青い球状のエネルギー体だと思ってください。自分のある一部が、ほかの一部より良いとか悪いとか決めないときに、その球の中でエネルギーとして融合することができます。自分が均一のエネルギー体であることを見てください。それによって、球状の自分自身が結晶化してきます。

自分の愛の表現でなにかいおうとしているものはありますか？

Q 7 愛の表現？

誰に対して？

バシャール 誰でも。自分自身かも知れません。

自分自身に、自分の愛を自由に流してあげているでしょうか？

Q 7 あまり自由ではない感じ・・・。

バシャール 自分には無条件の愛というのは、とてもおそれ多いものだと思ってますか？

自分自身に自由に愛を流して、それを受け入れるためには・・・。

どうでしょう、自分はそういうものを受け取る価値がないと思っているでしょうか。自分はどういうふうになれば、そういうものを受け取ってもいいと思っているでしょうか。

Q7 誰もみな平等で、全部いっぱい受け取れると思いますけれど、でも頭で考えている感じです。

バシャール 頭と心の部分をどうして、今分けて考えているんでしょう。なぜ「知るということを知る」というようにつながらないのでしょう。

ひとつの場所だけでわかっているということは、自分自身をなにか小さなカプセルに入れてしまっているだけです。

自分自身を小さな部分部分に、分けてしまっています。その知っている部分が他の部分と分離してしまっているということですね。均等な愛の流れを体中に流してあげてください。

そうして、ひとつの部分が知れば、すべての部分も知ることができます。

あなたの暖かみとそして愛情が、どんなさえぎるものも溶かします。

自分の中のその部分をあなたが受け入れるとき、自分の体もそれを受け入れます。わかりますか？

Q　7　はい。

バシャール　本当に？

Q　7　そうだと思います。

バシャール　質問していいですか。
あなたは自分が存在するということを得るために、なにかしなければいけませんでしたか？

Q　7　意味がよくわかりませんが。

バシャール　今存在していますか？

Q 7 はい。

バシャール そのために、なにかしなければならなかったでしょうか？ それとも、ただ存在しているでしょうか？

自分で存在するために、なにか創造主と談判をしなければならなかったでしょうか？

創造主があなたを創造するために「自分は本当に創造されてもいいんだ」と、証明する必要があったでしょうか？ どうでしょう。

Q 7 そういうことは全然わからないです。

バシャール 知らないんですか。

Q 7 わかりません。

バシャール ほかのいい方をすれば、あなたが今存在しているとしたら、あきらかに創造の部分というものは、あなたが存在する価値があるということを信じています。それでなければ、あなたはここに存在していません。
創造主があなたを創造したのと同じことを、どうして自分で受け入れて、それを信じてあげないんでしょう。無条件の愛を受け入れるのに、自分にそれを受け入れる価値があるということを証明する必要はなんにもありません。
ただ自由に受け入れていいんじゃないですか？
あなたが存在していること自体がその証明です。
すべてのものが、ただ「愛」から創られています。わかりますか？

Q 7 はい。

バシャール 本当に、ですか？

Q 7 はい。それを聞いてすごくうれしい感じがするから、わかっています。

バシャール そのうれしさという感じが、体の全部のレベルに流れていることを、感じてあげてください。自分自身にとってどれが真実かということを、自分で認めてあげてください。それによって自分に望まないものは自然に溶けていきます。どうでしょう、今のでいいですか？

Q 7 はい。ありがとうございました。

Q 8 ずいぶん前からＵＦＯとか宇宙人とかが、すごく怖くて・・・・。

バシャール どうですか？　怖いですか？

Q 8 今日で二回目なんですが、今までこういう前にくるのも怖かったんです。でもその怖さもだいぶなくなってきました。

バシャール どうもありがとう。

Q 8 バシャールさんに会って、友達みたいな宇宙人もいるんだなと思いました。

普通の生活で怖い・・・・。

バシャール こちらから質問していいですか。私達にとってみれば、あなた方が異星人なんですけど、だからといって私はあなたを怖がる必要がありますか?

Q 8 ないです。

バシャール じゃあ、どうして私が異星人だからといって怖がる必要があるんでしょう?

Q 8 必要がないというのはわかっているんですけど、良い宇宙人と悪い宇宙人とがわからないから・・・・。

バシャール こういうふうにいわせてください。あなた自身の波動に惹かれて、ある種のE.T.がきます。わかりますか?
恐れというのは否定的なものを引きつける波動を出します。

喜びの波動というものは、喜びを求めるものを引きつけます。喜び以外を求める人は、あなたを見つけることができません。

すべては振動している周波数によります。

それでは例えにみなさんのラジオを使ってみましょう。ある局では、肯定的なプログラムをやっていて、ある局では、否定的なプログラムをやっているとしましょう。

みなさんが自分で選択した局から、自分の欲しい情報がやってきます。それを聞いているときには、ほかの局は聞こえません。

恐れはあなたのラジオを否定的な局にあわせます。喜びと信頼というものは肯定的な局にあわせます。わかりますか？　あなたに役に立ちそうですか？

Q　8　はい。

バシャール　私達を友達にしてくれてどうもありがとう。

Q　9　私の誕生日は八月六日です。広島に原爆が落ちた日です。

ある人に聞いたのですが、八月六日生まれの人は非常にスピリチュアルな力が強いといってくれました。
またあるヨギにこの間会いました。その人が私のボディーチェックをしてくれました。非常に霊力が強いと教えられたのですが・・・・。

バシャール 自分の中の原子レベルで、そういういろいろなものを開いていく、そういった力があります。

Q 9 私は自分がそういう「力」を持っているということは、今では誰でも持っていると思いますが、気がつきませんでした。

バシャール じゃあ今は知ってますね。

Q 9 少し。
私がこの世の中でしなければいけない役割があるとしたら、それはなんでしょうか。教えてください。

バシャール　ちょっと無礼はしたくないんですけれど、私達が今まで話していたことを聞いていましたか？　一番自分がワクワクすることだという話をしていましたね。

Q　9　はい。

バシャール　なにをしたとき、一番ワクワクしますか。

Q　9　人の役に立ったとき。

バシャール　では、どういう方法で人の役に立ちたいでしょうか。もしくは、方向で。

Q　9　人に語りかけるような。

バシャール　それをやっていて楽しいですか。

Q9　それと詩をつくること。そして風景の水彩画を描くこと。

バシャール　他には？

どれもとても素晴らしいですね。

それ以外になにかやらなくてはいけないと思っていますか？　それとも今いってくれたのも全部簡単すぎますか？

私の人生は簡単すぎる。そろそろ心配し始めなければいけないんじゃないか。私の行く道は明らかすぎる。もっとなにかを探さなければいけないんじゃないか。どうでしょう？

Q9　あの、今日ここに来るまでそう思っていたんですけど、簡単でいいんだということが改めてわかりました。

バシャール　あなたが詩を書いたり、絵を描いたり、そして話したりすることによって、他の人が学ぶ小さな窓がたくさんできます。それを憶えておいてください。

憶えておいて欲しいのは、奉仕というのは奴隷になることではないんです。

ほかの人に奉仕したり役に立ったりすることによって、自分自身も喜んで楽しんでいいんです。自分にとって役に立つ奉仕のやり方を、自分で選んでもいいんです。もしくは、自分で楽しくなかったら、どれぐらい長く続けられるでしょう。「こんなのばっかりで嫌なんだけど、でも助けさせて」まわりの人は助けて欲しくて飛び込んでくるでしょうね。もしあなたが、喜びに満ちて光り輝いている存在になれたとき、もうそれだけで、「ああ、私もああなっていいんだな」という生きた模範になることができます。

ワカリマスカ？（日本語）

Q 9

バシャールさんはなにもかもお見通しなのですね。とても役に立ちました。

バシャール

NO、NO、NO、NO‼

私達はすべてを知っているわけではありません。あなた方とまったく同じように、毎瞬、毎瞬どうやったら自分自身でいられるか、それに必要なすべてを知っているだけです。

もしくは、それ以上に知りたいとき、知る必要のあるときには、そういう人が現れて、知識がやってきます。でも毎日毎日一歩ずつ行ってください。

Q 10　去年の八月六日に私の猫が死にました。死んでしまった猫とか人とかに、これから会うことはあるんでしょうか。

バシャール　あなたがそうして欲しければ、そういうエネルギーはあなたのまわりに居ることはあります。

でも猫があなたの人生に象徴的だった部分ですね。なにを象徴していたのか、教えようとしていたのかという部分が、今すでに、あなたの部分に、あなたのエネルギーに混ざっているかも知れません。

猫というのは、いろいろなものをひとつのレベルではなくてたくさんのレベルで見ています。ですから、私達にとっては「変化」という象徴になります。

そして私達にいろいろなものを教えてくれています。彼らが死んだとき、彼らが見せて象徴してくれていたものを、自分のものとして吸収することができます。

その教訓が学ばれたとき、その象徴は同じ形では存在し得ません。

でも、その本質とエッセンスは常にあなたと一緒にいます。わかりますか？

役に立ちそうですか？

Q 10　今も感じることができるかどうか。

バシャール　そのとおりです。あなたの中に居ます。
みなさんが自分で創り出している世界の一部なんですね、ペットというものは。
もしあなたが今猫になりたいのだとしたら、それを自分の中にいつも感じることができます。「猫になる」とはどういう意味だかわかりますか？

Q 10　わかりません。

バシャール　あなたにとって、猫はどういう意味があるでしょう。なんの象徴でしょう。
柔軟性、スムーズな動き、他になにかありますか。

Q 10　愛する対象。

バシャール　愛を与える対象ですか。ということは、自分の愛を与えるのを自分の外に考えていたわけですが、今度はそれを自分の中に与えるチャンスかも知れません。あなたは、そういうことをいおうとしているんですか？

Q10　そうです。

バシャール　どうもありがとう。今ので役に立ちそうですか？　それともまだ、なにかありますか？

Q10　いいえ、どうもありがとう。

バシャール　今晩から夢に気をつけて見ていてください。夢の中に猫の足跡がいくつか出て来るかも知れません（笑）。どうもありがとう。

Q11　私は日本人として三十年近く生きているんですけれど、どうもなにか親しみが湧かないいんですね。

アフリカにはたった二年しか住んでいないし、あとアジアとかいろいろなところにいたときには、なにかすごく自分自身がフリーでオープンで、すごくうれしいんです。でも日本にいるときは、なにか縮こまっている自分っていうのを感じるんです。今、今生、体はここに居るんですけれど、魂は別な所にいるんじゃないかなっていう気がしています。

バシャール 今まで、無論いろいろなところに生まれ変わってきましたけど、今度はここに生まれてすべての平等性を学んでいます。この地球のより住み心地がいいところがあるのなら、なぜそこに住まないんでしょう。

Q 11 なにか両親のことが気になるんです。私はひとりっ子なんです。とても日本人的発想なんですけれど。

バシャール 日本人？
では、自分で思っている以上に日本人的なところがあるということなんですね？

Q 11　そうですね、それが自分にとってネガティブな、自分を縛りつけているものじゃあないかと思うんです。

バシャール　まず最初に思い出して欲しいのは、「すべてのタイミングは完璧である」ということです。なにも自分の知らない所で起きているものはないということです。行きたいときにちょうどタイミングよく、どちらにしても行きます。そして、今自分にとって一番役に立つことをやります。本当にそこにいる必要があるときには、必ずそこにいます。信頼してください。わかりますか？

Q 11　はい。わかります。

バシャール　それを信頼する意志はありますか？

Q 11　はい。

バシャール　では、楽しんでください。

自由に飛び回ってください。

Q 11 はい。ありがとうございます。

もうひとつあります。

今男の人、女の人でいろいろなフリクション(摩擦)があるんですけれど・・・・。

バシャール なくてもいいんですけれど。

Q 11 そうですよね。

バシャール その抵抗はどこからくるかというと、男性が自分の中での女性的な部分を受け入れるのに抵抗が出たり、それから女性が自分の中の男性的な部分を受け入れるときに抵抗が起こるのです。

受け入れることを怖がることによって、それが自分のまわりの人に投影されます。

そして自分の中での、その二つの部分が統合されると、まわりの人に対しても平等に接することができます。

すべての人が平等で対等で、そしてみんな無条件で愛していれば、なにも摩擦や抵抗は起きません。

自分の中の女性的な部分、男性的な部分、この両極をひとつに統合できれば、この世の中から病気をなくすこともできます。そして痛みも、すべての戦いや争いもなくすことができます。

Q11 それを実際的に、この封建的なところがたくさん残っている日本の中で、どうやって働きかけて行ったらいいんでしょう?

バシャール 社会とあなたと、どう関係があるんですか?

Q11 ああ。そうですね。

バシャール どうもありがとう。バイバイ（笑）。

Q 12

二つのことを質問したいのですが、まず、今までの人生の中で気にかかっている幼児体験があるんです。

私は小さいときから記憶力がよくて、映像として残っているんです。二〜三歳のころ、外に出て町並みを見ているとに、急に自分自身が見ているんだけれど、自分ではない誰かが見ているような、古くてなつかしい風景を目にしている感じがしました。「これは今じゃない、昔なんだ、昔のことなんだ」ってそのとき思いました。

バシャール

自分の同僚、自分の一部という存在がいろいろなところにいます。ここだけでなくて。それは部分的には過去ですし、現在もあります。

ひとつの魂というものは、過去、現在、未来も無論ありますし、現在でもひとつの体だけではなくて、いろいろな部分に分かれることがあります。

あなたもその全体的な魂の一部です。そのあなたの別の部分は、そこいらへんの町を歩いています。そして、彼らはあなたのリモートコントロールの目とか耳とかになります。自分の中で親しみが必要なときに、そういった情報を与えてくれたりするのです。わかりましたか？

Q　12　はい。わかります。よくそういう自分自身とは別のものを感じていました。

バシャール　知っていたのなら、聞く必要はなかったですね。

Q　12　それがなんなのか、確信がなかったから。

バシャール　でもあなたは知っていました。

Q　12　はい。

バシャール　でもそれを信頼しませんでした。

みなさんは全部知っています。でも知っていることを信頼していません。

「あれは違うに決まってる」とか。

でもみなさんは、知っています。知っていることを信頼してあげれば、そのことが余計わかります。それによって、自分が知っているという体験も出てきます。

今この地球上で起きている変化というのはそれなんですね。この変革の時期で、自分はもうすでに知っていたんだということを、体験を通して見ていくだけです。わかりますか？　役に立ちそうですか？

Q12　はい。

自分で自分のエネルギーを使いこなせていないと感じているんです。そのエネルギーをマイナス方向、自分自身の病気に使っているような気がするんですが、それを効果的に自分自身の健康を保つようなエネルギーの使い方があれば教えてください。

バシャール　今どういうふうに使っているから、役に立っていないと思っているんでしょう？

Q12　ときおり、とてもいいことがあって、非常にエネルギーレベルが上がって、効果的によく使っていると思うこともあるんですが、ただその後必ず、ものすごくエネルギーが落ちて・・・・。

バシャール　それは自分がエネルギーの使い方を間違っているということにはなりません。

Q 12　でもそのとき、ひどい頭痛とか、体の苦しみになって出てくるんです。

バシャール　頭痛とか体の痛みなどは、自分でエネルギーが落ちたときにくるんだと、すでに自分の中で仮定しているからきます。

こういうふうに見てください。こういう状態から初めてエネルギーが上がって、自分が違うレベルにきたと感じます。そこでこう平になってくると、自分の中では落ちたと感じるんです。

本当に起きていることは自分がそのエネルギー状態に慣れているだけなんです。エネルギーがアップした、ダウンしたと見る必要はないんです。こういうふうに見てください。

アップして止まって、アップして止まって、アップして止まって、と。

新しく自分で体験しているエネルギーの中で、自分をリラックスさせてあげてください。その静けさの中にたくさんの情報があります。

休んでいるうちに非常にたくさんの成長がやってきます。聞いてますか？

Q 12　はい。

バシャール 役に立ちますか?

Q12 つまり、私に必要なのはリラックスだということですね。

バシャール 私が今勧めているのは、このようにエネルギーがダウンしたと感じるとき、それと、頭痛や体の痛みとは関係ないと考えてください、ということです。

それによってそういう状態にはなりません。

例です。

エネルギーがアップして平になります。そこで自分で認識してください。

「平になっているんだな、スムーズになっているんだな。それを吸収する時間なんだ。非常にリラックスしている」と。

エネルギーがアップして平になったとき、「あーあどこか間違っている、おかしくなっちゃった、ほら頭が痛い」と思う必要はありません。

わかりますか? あなたの姿勢が完璧にその効果を決めます。

みなさんの中に、新しいエネルギーに接してあちこちが痛いと感じる人がいるかも知れません。でもそれはただ痛がらせておいてください。通りすぎます。自分がそれについて心配したときに、それが自分にくっついて、あとあとまで残ります。すべて起きていることが、自分の成長の過程で、必要なものだと思っていてください。そうすればそれが邪魔者に見えなくなります。

わかりますか?

どうでしょう、役に立ったでしょうか。

Q12 はい。かなり。

バシャール ありがとう。

私が9番です(今までの質問者は質問する前に番号をいっていたので)。

今、私が接触している世界のすべての人々、集合的に何十億ものいろいろな存在を、私達は非常に愛しています。そして非常にワクワクしています。

みなさんの勇気、大胆さに感謝します。

みなさんの時間でいえば今日、このような交流の時をつくってくれてどうもありがとう。

覚えておいて欲しいのは「すべての瞬間は、新しい瞬間だ」ということです。

今あなたが「今は今だ」と思えば、過去のことを「今」に結びつける必要はなくなります。

みなさんはそのぐらい自由なんです。

そして、今いったぐらい簡単なことです。

信じれば自分自身でそれを証明することができます。

私が代わりに証明することはできません。

証明はみなさんの中にあります。


もう一度みなさんに感謝したいと思います。

そして、通訳者にも感謝します。


みなさんがエクスタシーに満ち、そして素晴らしい愛に満ちた今日を過ごしますように。

オヤスミナサイ！（日本語）

（バシャールの意識がダリルから離れる）

ダリル　うまくいきましたか？

今日はみなさん、来ていただいてありがとう。
こういう機会を創ってくれたスタッフの人達にも拍手してあげてください。

で、本当にうまくいったの？

4

1987年5月16日

バシャール　ごきげんいかがでしょうか。みなさん生きていますか？

あなた方のひとりひとりの理解と全体としての理解は、みんながいろいろなレベルでの意識を探っていくのに役に立ちます。今、たくさんの人が一緒になって、あるエネルギーの形を創造しつつあります。あなた方は正しい振動、正しい波動を持っているので、正しい波動が引き合うことを知っています。

ひとりひとりの個人を実際に知っていなくても、いろいろな社会のいろいろな人間が同時に同じような波動を持っていて、ひとつの方向、ひとつのエネルギーに進んでいます。それが地球の大気――心理的な大気や物理的な大気――を通して電磁気の集積を行っているのです。ひとりひとりが発電機なのです。

地球の電磁場では、あなた方は自分の感情を投入して、あなた自身の電磁場、つまりあなたの肉体を使って経験する環境を創り出しているのです。ですから、あなたの感情をあるひとつのことに集中させれば、あなたは大気の一番席いエネルギーにまで到達することができます。これは実際に感じることができる電磁場のひとつのバリエーションなのです。このエネルギーの存在を意識していなくても、自分でそうなろうとしなくても達することができるのです。このエネルギーはまた、「天恵」といえるかも知れません。今まで想像もしていなかった人生の経験かも知れません。ですから、自分自身の精神の統合を追求してください。私達チャネルからエネルギーはあふれ出ています。それを受け取ってください。

私達はいろいろな選択権を提供しているのです。意味のない人生、創造的人生、明るい人生、悩みのない人生、幸福な人生。今、地球では多くの人が目覚めて、無意識的な生活ではなく、意識的な生活があるのだということに気づき始めているのです。このことに関し、あなた方に感謝したいと思います。

気づきは広がるものだからです。そのエネルギーが地球上で拡大すると、私はもっとあなた方と交信できるようになるのです。数年の内にはそれが起こるでしょう。あなた方の社会は、まだその社会の内同士でも、自由に交信しあえる状態を望んでいないので、私達とも自由に交信しあうことを望んでいません。

あなた方の社会が、社会の中のすべてのメンバーと平等に付き合うようになれば、地球外の社会とも付き合えるようになりますから、全地球がひとつの文明として機能するようになるでしょう。

地球の社会がその状態を選ぶ用意ができるまで、私達は、今、行っているような方法で交信します。私達は私達の存在を信じるように強制はしません。

信じる信じないはあなたが決めてください。

でも、私達との交信を望む人がいるなら、必要な時に私達は現れます。私達はそのような意志に感謝します。感謝の気持ちとして私があなた方にできることを教えてください。質問をどうぞ。

Q1　こんにちは、バシャール。

バシャール　こんにちは。

Q1　嫉妬心を感じることができないのですけれど。

バシャール　嫉妬心を感じることができない？　あなたがいいたいのは、あなたが嫉妬しすぎるということですか？

Q1　そうではありません。嫉妬できないのです。嫉妬しないのです。

バシャール　どうしてですか？

Q1　私は、私の嫉妬心を押さえつけているように思うのですが。子供の頃はたぶん、そういう気持ちを持っていたと思います。
それで私は思っていたのですが。

バシャール　バシャール、今ちょっと変な顔をなさってますね。
別に私はそんな気持ちを持っているのではないのですが、今思っていることは、なぜすべてがうまくいっている時にネガティブなことがなくてはならないと考えるのかということです。
この星では、すべてがうまくいっている時に、なんですべてがうまくいくんだろうと心配する傾向がありますね。

Q1　私が思っているのは、私が嫉妬心を感じられないから、逆に誰かに対して愛情も深く感じられないのではないかということです。

バシャール　嫉妬心がないと？

Q1　あの、嫉妬心と愛情というのは両極端で、嫉妬心を持っていてこそ、愛情も出て来るのではないかと思いますけれど。

バシャール　そんなことはありません。

Q1　今、私はある人に対して深い愛情を感じられないのです。それで、そう思ったのですけれど。

バシャール　ちょっと待ってください。これを覚えておいてください。

あなたが心の中でバランスを持って心を統合することによって、いろいろな意味の感情が少しずつ極端でなくなることはあるかも知れません。

だからといって、あなたの中に深い愛情がなくなるということはありません。

あなたの中に深い愛情を感じることができなくなるというわけではありません。

バランスが取れて、統合ができてきた人は、ネガティブやポジティブや感情を激しく出さなくなるということは実際にあります。

地球上の社会の中には、肯定的もしくは否定的感情を思い切り出すのが本当の素直さ、誠実さだと思っているところがありますが、本当はそういう感情というものは相手を判断したり、説得したりしようというところからきているのです。

Q1　でも自分がそこまで統合されているとは思えないのですが。

バシャール　ああ。話ができすぎていると思いますか？

Q1　私は、そこまでいっているのでしょうか？

バシャール　ああ。すべてがスムーズにいっているのが信じられない、受け入れられない？

Q1　そうです。今すごいスムーズなのです。

バシャール　では、少しデコボコをつけてあげましょうか？

Q1　はい。お願いします（笑）。

バシャール　私はそんなことできませんよ。私はそういうことはしません。
今のは冗談です。

Q1　はい。わかりました。

バシャール　OK。そんなに苦労をしたい、そんなに何かスムーズにいっているのがいやで何かやりたいのだったら、私がこれからいうことをやってください。一生懸命やってください。
人生は本当は単純で簡単なものであるということを受け入れることに努力をしてください。あなた方は本当に単純であることを、難しく難しく考えてきました。

Q1　でも、本当に今のところ、物事がすべて単純で簡単に運んでいるのです。

バシャール　あなたは、本当に自分がやりたいことをやっていますか？

Q1　ほとんどそれに近い状態です。

バシャール　何か今やっていないことでやりたいことが残っているはずですが、何かありますか？　嫉妬心を感じたいということ以外に。

Q 1　うーん。

バシャール　嫉妬心というのは、相手の中に自分が持ってるものを見ているわけですよね。自分がすでに持っているのに持っていないと思ってそれを見ている。自分が持っていなければ相手の中に見ることができません。わかりますか？

Q 1　はい。

バシャール　うらやむということも、相手の中、他人の中、自分の中に持っているものを見て、感じているのです。自分の中にないことは決して感じることができません。自分の中に持っているからこそ感じることができます。ですから、あなたが今やらなければいけないこと、あなたが今勉強できることは、自分の中に単純で簡単な人生をおくる力があるんだということを認めてあげることです。簡単なことなのです。

あなた方の状態を長年見てきて、私達が感じていることなのですが、あなた方の文明というのは、単純さ、簡単さというものを信じるのに大変な難しさを感じるということです。そこがあなた方の文明の中で一番矛盾していることなのです。あなた方はもう何千年も何か価値があるものは、必ず努力しないと、苦労しないと得ることができないと信じています。

もうあなた方の魂に焼きついていて、それが簡単なことだということを受け入れられなくなってしまっています。そういうことを聞くとまったくわからなくなってしまうのです。

そこが信じられないから、あまりにもスムーズにいっている時には、あっちでちょっと、こっちでちょっとというようにわざと難しいものを掘り出してきて、少しずつやりながら、本当の簡単さということを学んでいきます。本当は簡単なんだ、単純なんだということがわかった時に、本当の創造性というものをあなた方はわかる時が来ると思います。

わかりますか？

Q　1　はい。

バシャール　ですから、私があなたに宿題としてあげることは、自分の中の力を信ずるということです。すべては簡単で、あなたは、かなり自分の中で統合ができているということを信じてください。あなた、それからあなた方ひとりひとりが、簡単で単純な人生を送ることができる、また同時に、それに値するのだということを覚えておいてください。

もちろん、自分自身のペースでそれを少しずつ信じてください。少しは苦労がないと信じられない人は、もちろん苦労を自ら選んでやっていってもいいですが、最後には、真実が本当は簡単なものであるということがわかるようになります。自分のペースでゆっくりとやってください。そして、最後に自分が本当に簡単なものなんだということがわかった時にして欲しくないことは、これまで自分がしてきたことを間違ったこととして後悔することです。

後悔だけはしないでください。すべてにおいてタイミングというものが重要なことであって、すべてのことはタイミング良く起こっているということを信じてください。あなたが、自分が単純で簡単なものなのだということを理解した時が、本当にわかる時なのです。そのちよっと前でもありません。そのちよっと後でもありません。まさに、その時です。

信じてください。タイミングを信じてください。自分自身をそんなに責めないでください。あなた方は、みなさんが考えているよりももっともっと進んでいるのです。これでいいですか？

Q　1　はい。そう思います。どうもありがとうございました。

バシャール　いいえ、どういたしまして。

Q　2　私は魂のことについて質問があるのですが。私の中でイメージが出てきたのですが、クリスタルみたいで色は緑と黄色だったのですけれども。

バシャール　あなたの中のエネルギーの変革です。黄色から緑に変わるというのはあなたの中で、あなたがこれまで知的な考えをしてきたのが、これからは心の方で考えるようになるということを意味しています。
あなたの中の精神的なことが明確になってきているのです。

Q2 地球上にも実際クリスタルというものがあります。そのクリスタルはエネルギーをもっているのですが、私の中で見たクリスタルというのも、それに関連しているのでしょうか?

バシャール もちろんです。クリスタルというものは、あなたの中にあるパワーやエネルギーというものを引き出す、引き金になるのです。
あなたの中で今、変革が起きています。クリスタルというのは、あなたの中の精神的なものが透き通ってきている、クリアになってきている、はっきりとしてきている、ということを表しています。
わかりますか?

Q2 はい。

バシャール　そういうわけであなたは今、クリスタルに興味を持ち始めているのです。今、あなたがどこにいるのか、あなたのエネルギーがどのへんにあるのかということを知るのに、物質的なものが必要だと信じている限り、あなたにとって、クリスタルというものがその役割をしてくれています。それであなたは、今、あなたがいるレベルのクリスタルにひかれるようになっているのです。

Q2　では、クリスタルそのものは、生きていないのですか?

バシャール　すべてのものが生きています。もちろんすべてのものが生きていますけれど、あなたがあなた自身について理解しているように、物というのは、それ自身が理解しているわけではありません。わかりますか?

Q2　はい。では、物というのはちょっと変わったエネルギーを持っているのですか?

バシャール　変わった？

Q２　エネルギー、エネルギーなのですよね。

バシャール　すべてはエネルギーです。すべてはあなたの意識の延長です。
それでいいですか？

Q２　はい。

Q３　真実の道、本当に自分の歩むべき道ということについて質問したいのですが。

バシャール　真実の道ですか？
あなたが今、本当に学びたいことを学ぼうとする時、それがどんな方法であれ、あなたの創造主との関係を学んでいる時、あなたは真実の道を歩んでいることになります。
それが、あなたの歩むべき道です。

真実の道というものは、ひとつの決まったコースではありません。何度も、何度も変わることがあります。形が変わることもあります。ここまで、わかりますか？

Q3 あなたは、道そのもののことをいわれているのですか、それともその道を歩んでいる人のことをいっているのですか？

バシャール 道というものは、あなたが今通っているところではなくて、あなた自身だということを覚えておいてください。あなたの外で起こっている変化というものは、本当はあなたの意識の中で起こっている変化なのです。なぜならば、あなた自身があなたの現実を創っているからです。

ですから、あなた自身の変化を信じて変化に逆らわず、その変化の流れに乗って自分の今一番やりたいことをすることが、あなたの本当の道を歩くことにつながってきます。それがあなた自身の肯定的な成長につながってくるのです。

その時その時の本当のあなた自身にフォーカスしている状態、それが一番大切なことになります。ひとつの道、これでなくてはならないということはありません。

もし道がひとつなら、この世の中にはひとりしかいないことになります。あなたのまわりを見てください。人がたくさんいますね。みなさんひとりひとりが真実の道なのです。みなさんの中のひとりひとりが創造主の鏡のようなものになっています。
あなたが今一番やりたいこと、あなたのエネルギーを注ぎたいと思っていることをやることが、あなたの真実の道を歩んでいくことになります。わかりますか？

Q 3 はい。

バシャール 簡単なことなのです。それだけのことなのです。

Q 3 どうもありがとう。

バシャール こちらこそ、どうもありがとう。

Q 4 こんばんは、バシャール。

バシャール　こんばんは。

Q4　ここ二十～三十年程地球上でUFOがよく見られるのですが、もちろんこの日本でもたくさんの人が見ています。限られた人ですが。

バシャール　ああ、その前にちょっと質問していいですか？
あなたはこのUFOというものが何であるか知っていますか？

Q4　いえ、私にはわかりません。
あなた方は、本当にいるのですか？　本当に空を飛んで時々地球などに来るのですか？　本当にあなた方は、実在しているのですか？

バシャール　別に私は信じてもらわなくてもいいのですけれど、私達は実在しています。
ちょっとここでいっておきたいのは、あなた方の政府というものは私達の存在を確実に信じています。しかし、あなた方がつくった政府は、私達の存在を隠そうとしています。あなた方の政府の軍隊のメンバーと実際に私達は会ったこともあります。わかりますか？

Q 4 なぜ政府がそういうことを隠すのでしょうか？

バシャール あなた方の政府というものは、あなた方ひとりひとりがパワフルになるようなものを与えないようにするという性質を持っています。

あなた方ひとりひとりがそういったパワーを身につけてしまうと、今の政府そのものが危なくなるという考えですね。あなた方は、本当は政府とか政治などというものは必要ないのです。

政治というものは、あなた方の助けになるものですが、あなた方を支配、統治するものではありません。本当の姿はそういうものではありません。

政府もしくは政治家は、もし、みなさんひとりひとりがそれに気づいたならば、今持っている力を取られてしまうのではないか、という恐れを抱いています。というのは、今現在の地球上では、そういうものがとりあえず必要とされているからです。

本当は支配するもの、支配されるものという区別はありません。支配するものは不要なのですが、あなた方の社会では、今のところそれを必要としています。そういう社会の仕組みになっていています。わかりますか？

Q 4 はい。

バシャール しかし、少しずつ着実に私達の存在、私達の与える情報というものが、地球上に流されています。ですから、これからあなた方の中に真実の意味での平等というものが少しずつ浸透していくに従って、政府に対して真実を教えてくれという声が高まってくるでしょう。

今それが急激に上昇しています。今年の春から夏にかけて世界中のあらゆるところで、新聞やテレビなどのメディアによって、UFOに関する情報がどんどん流されるようになるでしょう。

というのは、今年はあなた方の政府がUFOが存在すると百パーセント信用するようになって、四十年目にあたるのです。その四十年という期間はあなた方の文明の中の、ある見方というものが完全に変わってしまうまでにかかる年数です。

四十という数字は、何度も何度もあなた方の社会に出てくるパターンのようですね。たとえば、人間が変わるのに四十日かかるというふうに、この四十という数字は三次元から4次元に変革していくことを表しているのです。あなた方は何万年間もこの三次元の世界で発達して生きてきたのです。わかりますか？

Q 4　はい。

バシャール　はい。はい。はい。私達は実際に存在しています。私を信用してもらう必要はないのですが、しかし、ここ三十年以内にあなた方地球上すべての人達は我々の存在を信じるようになり、わりと自由に我々と交流することになるでしょう。あなた方のエネルギーを見ていてそういうふうに感じています。

Q 4　とすると、地球人が将来あなたの円盤に乗って飛び回ることができるようになるのですか？

バシャール　そうです。しかし、あなた方には、あなた方自身のＵＦＯを作る技術があるということも忘れないでください。あなた方の世界の中で何度も試されています。技術はもうすでに存在しています。そして我々と途中で会うことができるでしょう。

Q 4 我々の宇宙技術のことをいわれているのですか?

バシャール そうです。我々の乗り物と同じようなものを作る能力があなた方にもあります。電磁波のようなものを利用して、公害などを出さない乗り物を作る能力をあなた方は本当は持っているのです。
あなた方地球上に住んでいる人達の中で、かなりたくさんの人がこういう乗り物に関する情報を得て、それを実際に作ってみているのですが、政府の力によってそれらが、すべて隠されてしまってきたのです。
しかし、これからは、もう隠せない状態になるでしょう。
今、地球上にそういうことに気づいている人がたくさん出てきています。それで、もう抑えられない状態に近づいています。わかりますか?

Q 4 はい。それでそのUFOというのは、実際、地球上において、その中から本当に宇宙人が地球に降りてきて、地球の上を歩いているのでしょうか？

バシャール　はい。

Q　4　実際に宇宙人が地球の上を歩きまわっているのですか？

バシャール　はい、そうです。

Q　4　今、何人くらいそういう人がいるのですか？

バシャール　二〜三千人はいます。

Q　4　バシャール、彼らは今どこにいるのですか？

バシャール　彼らは見ています。彼らは学んでいます。あなた方に耳を傾けています。

Q4　それではその人達は、人間みたいな形をしているのですか？

バシャール　彼らがあなた方に見せている姿は、そうだと思います。その中には、あなた方地球人と実際に接触した者もかなりいますが、私達の本当の姿というのは、本当はあなた方とは違っています。もちろんあなた方人間に大変近い外見の宇宙人もいますけれど。
もうひとつ知っておいて欲しいことは、あなた方にショックを与えないように、「私は、人間のような形の宇宙人を見ている」と思わせる力を持っている宇宙人がたくさんいるということです。
テレパシーを使ってあなた方の中に信号を送って、あなた方をビックリさせないようにそういうことをするのです。わかりますか？

Q4　はい。あなたはどんな形をしているのですか、どんな顔をしているのですか？

バシャール　そうですね、我々は身長約百五十センチくらいです。痩せています。皮膚の色は灰色がかった白です。あなた方の髪のような白さですね。目は大きいです。目の中の虹彩がたいへん大きくて、男性は髪がありません。女性は髪があります。もちろん例外もありますけれど。

そうですね、あなた方の慣れている地球上の人種でいうと、モンゴル人や、ユーラシア人に似ているといえるかも知れません。

しかしもちろん、瓜ふたつというのではありません。

我々はもちろん人間ではないですけれど、人間的な外見です。エササニ的とでもいいますか。この銀河系の中では、あなた方に似た人間みたいな存在もありますし、まったく違う存在もあります。このようなところで、よろしいですか？

Q　4　もうひとつ質問があるのですが。

バシャール　もちろんいいですよ。

Q　4　どうしてわざわざ地球に来るのですか？

バシャール　わざわざ？

Q 4　あの、どうして地球に来ることを選んだのですか？

バシャール　どうしてかというと私達が見ているところ、あなた方は大変なエネルギーの変化、ブレイクスルー（障害を突破して、変革を起こすこと）の時代に入っているように見えるのです。

信じられないような話かも知れませんが、あなた方の地球というところには、大変大きなエネルギーというものがあって、その地球がどう変わるか、このエネルギーがどう変わるかということが、あなた方の地球だけでなく、そのまわりにも大きな影響を与える、というところにきています。

今のあなた方のエネルギーの強さというものは、我々が会った中で一番大きなエネルギーのひとつなのです。ですから今あなた方のエネルギーがいい方に向かうことができれば、大変よい影響を、あなたほうの地球のみならず、そのまわりの銀河系全体にも与えることができるのです。

そして、あなた方と一緒になって友達として、愛として、光として成長していくということを、シェアするために、私達はここに来ています。

私達はあなた方の少しでも助けになりたいと望んでいますが、しかし地球というものはあなた方の世界であって、私達があなた方の邪魔をする、中に入って実際にやっていくということはできません。

あなた方の代わりに、物事を決めていくということはできません。

しかし、私達はあなた方とコンタクトを持つということを欲しているのです。

わかりますか？　これでいいですか？

Q　4　はい。私達もあなた方を愛しています。

バシャール　どうもありがとう。私達もあなた方を愛しています。

Q　5　こんばんは、バシャール。苦労するということと、何か自分自身を鍛えたいと思った時、ある程度の苦労をしないとそこに到達できないということ、この二つの違いはどうなのでしょうか？

バシャール　自分を鍛練するというのは、自分の中の何らかのものに焦点を合わせて、それに向かって努力するということですね。あなたが本当に自分がやりたいと思っていることをやっている時には、あなた自身、自ら進んで鍛練している状態にあると思います。

そのとき、あなたは自分がやりたいことをやっているのだから、そのやりたいことが苦しいとは感じないと思います。しかし、あなたが本当にやりたいことではないこと、あなたの道に外れることをやっているとすると、そこに焦点を合わせるためには、おそらくあなたは苦労しなければならないし、大変な努力をしなければならないわけです。

そういう後者の場合には、同じ鍛練でもやりたくないことをやっているということで、無理な力、すなわち苦しみ、もしくはつらさのようなものを味わうようになると思います。

あなたが本当にやりたいことをやっていれば、その過程はちゃんと訓練、もしくは鍛練になっていて、しかもスムーズにまったく苦しみを感じないでいられます。訓練、鍛練というのは、ただ単純に焦点を合わせるということなのです。あなたがこれから何かをやりたいという時に、そのゴールに向かって集中しているという状態ですね。ですから、あなたのいっている訓練、鍛練というのは、本当にあなたが自分の波長と合ったこと、本当にあなたがやりたいと思ったことをやっている時には、苦しみなどというものはなく、本当に楽しめるということなのです。

今のでよろしいですか？

Q5　しかし、私達はみんな悪い癖というものを持っていますが、それを変えようとすると、何らかの苦しみというのがついてくるのではないかと思いますが。

バシャール　はいはい。じゃ、ちょっと待ってください。

もちろんあなた方は、地球上での悪い習慣というのを持っていますし、ネガティブなこともあると思います。しかし、その悪い癖を簡単に直せないと思っている、そう信じているというところが、あなた方の悪い癖かも知れませんね。

だから、あなた方は、悪い癖が理由で変われないというのではないでしょうか。

あなたが自分自身でこういう癖があると気づいたということは、すでにそこで、その癖を解決できるところまできているのです。

もし本当にあなたが思うだけで変えられると信じるならば、変わるはずです。自分が悪循環の中にいるということに気づくということは、その悪循環の中から出る第一歩を踏み出したということなのです。あなたが本当にそう変えられると信じて、百パーセント信じて行動するならば、その悪循環というものはもうあなたの中に戻ってこないでしょう。
わかりますか？

Q5　はい。

バシャール　今のでよろしいでしょうか？

Q5　はい。よくわかりました。

バシャール　あなた方がエクスタシーを持つことを、私達は別に責めたりしません。あなた方が努力して、もがくことも私達は別に判断したりしません。
しかし、我々は、あなた方があなた方自身を愛して、無償の愛を自分の中に受け入れることを願っています。そしてそれはあなた自身が選択することです。我々はあなた方がどんな選択をしても、常にあなた方を愛しているのです。

Q 6 私はバシャールが住んでいる所の文明とか、皆さんが何をしているのかについてお聞きしたいのですが。

バシャール 私の所では、あなた方の地球とはかなり違っていると思います。

しかし、まあ地球でいう公園のような感じだと思ってください。高くそびえるビルなどはまったくありません。

それから、人口密度が多い所もまったくありません。ビルがちょっとあるくらいで、私達の人口の三分の二は宇宙船に乗って生活しています。その宇宙自体が私達の都市となっています。だから、星自体は大変緑が多くてリラックスできて、とても感じのいい所です。

あなた方の地球と似ているところもありますが、かなり違うところもあります。酸素の量、重力のかかる度合いというのは少し違います。もしあなた方がエササニに来られたら、初めは少し変な感じがするかもしれません。酸素が少し多すぎるという感じがあるかも知れません。

それから、我々の太陽は地球の太陽のように黄色くなく、黄色っぽい緑色をしています。

我々の文明ではすべてのものが自然に起こってきます。我々の星の人間ひとりひとりがみんなと結婚しているというような意識を持っています。もちろん地球上でいう結婚という意識とはちょっと違いますけれど、地球上の言葉でいえば結婚しているという言葉に一番近いと思います。我々ひとりひとりが、誠実でまわりの人間をすべて信頼しているという点で、大変自然であり、すべてがスムーズに流れて行きます。

我々は創造することが好きなのですが、創造することもすべてがスムーズに自然な形で行われます。一種の芸術のようなものもあるのですが、それは好奇心があればすぐに出てくる。そして創り出されたものには限界というものはありません。好奇心を自由に探って、それを自由に表現する、ということをやっています。

私自身は、地球でいえば彫刻みたいなものが好きですね。何か特別に聞きたいことがありますか? でないと何時間も何時間も、私がこうやってエササニのことをしゃべることになりますから。何か聞きたいことがあったらいってください。

我々の星の中にはいろいろな芸術の形がありますが、私がやっている彫刻というのはそのひとつの方法なのです。もちろん音楽もあります。しかし、自然に出てくるのですね。計画して出てくるものではありません。ただ自然に我々の中に好奇心として現れたものを表現しているということになります。ですから、誰かが演奏会をしたいなと思えば、その場ですぐに演奏します。しかし、観衆などは必要ありません。演奏者が観衆が欲しいと思えば、演奏者が欲しいだけの観衆が集まってきて、そこでオーケストラのようなことが行われるようになります。我々の星のひとりひとりが完全にテレパシーでつながっていますので、偶然というのはまったくありません。すべてのものが調和して、起こるべきところに起こるべきことが起こる時に起こっています。

実は地球上の人もそうなのですが、地球上のほとんどの人がまだ気づいていないだけのことなのです。だから地球上の人々は、人生を偶然のように思っているわけですが、本当は偶然というものはまったくないのです。

今私がここに来ているということも、まったく偶然ではありません。偶然ということはまったくありません。すべてのものが起こるべくして起こっています。

ですから私達の星ではすべてが自然で、大きな愛、大きな笑い、大きな喜びというものをみんなで味わっています。常にそうです。それがなくなることはありません。

そのようなものがなくなる一瞬というものもありません。

Q6　では、悲しみなどというものはないのですか？

バシャール　そんなものは私達には必要ありません。我々にはそういう悲しみとかネガティブな感情が起きたことは、ここ何百年もありません。私達の中には泣くということはありません。泣くという表現はありません。我々ひとりひとりがすべてを理解していて、何か自分が欲しいものをつくろうとすれば、誰も傷つけないで、誰にも遠慮しないですべてのものをつくることができるということを知っていますから、悲しみなどは当然起こってきません。

あなた方の星の中に犯罪というのがあるのは、自分の中にある力というものを自分で信じていないからです。自分の創造性というものを信じていない、知らないからです。自分自身の中に力がないと思っているので、自分のまわりをコントロールすることによって、自分が救われると思っているのです。でも本当は自分の中をコントロールすることによって、本当の幸せが訪れるのです。わかりますか？

Q6　はい。

バシャール　ですから私達は、泣くということをしません。どうしてかというと、自分自身に力がない、自分自身に創造する力がないということを信じている人達が、ひとりもいないからです。
それでいいですか？

Q6　はい。どうもありがとう。
もうひとつ質問があるのですが、バミューダ・トライアングルについてです。質問していいでしょうか？

バシャール　いいですよ。あなた方の地球の中にいくつも、違う次元の中へ飛び込んで行く扉のような存在があります。

バミューダ・トライアングルは、その数ある扉の中でもジョーカー（カードのジョーカーの意味）のような場所になっているのです。

昔あったアトランティス大陸に関係があるのですが、バミューダ・トライアングル領域では、時たま磁場が勝手な動きをして、それが変わることがあるのです。

そのアトランティス時代につくられた磁場というのが今でも時々作動して、バミユーダ・トライアングルという所の現象を起こしています。時々、バミューダ・トライアングルの地域に入っていった人々が、自動的に他の次元へ送られてしまうという状況が起きてしまっているわけです。

そのなかの多くの人間は、それが、自分が乗っている機械の故障だと思って、そのまま海の底へ沈んでいったようです。

Q6 では、そのなかの少しの人は、実際に違う次元へ行ってしまったのでしょうか?

バシャール はい。少しの人は。

Q6 では、失われた大陸アトランティスというのはその辺にあったのですね。

バシャール いや、失われていません。今、そこにあるのです。

アトランティスの一番南の島は、今バハマ諸島といわれている所にあります。北にあった大きな島というのは、今アメリカ合衆国といわれているところの東側の海の下にあります。アトランティス大陸というのは、大西洋の真ん中にあったのではなく、どちらかというと今のアメリカ大陸寄りにあったのです。

Q6 大きなクリスタルが海の底に沈んでいると聞いたのですが、そうなのですか?

バシャール はい、そうです。今でもいくつか、そういう水晶が沈んでいて、バミューダ・トライアングルの磁場と重なり合って影響を及ぼしているということがあります。

Q6 失われた大陸レムリアというのは、ハワイの辺りにあったのでしょうか?

バシャール はい、そうです。ハワイが中心でした。

Q6 どうもありがとうございました。

Q7 バシャールまた来ました。今度は二~三質問があります。
私は学生時代に電気工学を学んだのですが、今はトレーニングのトレーナーとして、超心理学や精神的なことを人々に教えています。

今思うのですが、自分がやっていた電気工学と今自分がやっていることに、大変強い関係があるような気がするのですけれど。

バシャール もちろんです。大変強い関係があります。意識というものは電磁場によって投影されているものなのです。電磁場があることによって、あなたの意識が投影されます。だからテレパシーがあるのです。あなたの意識の電磁場が、あなたのまわりのすべてのものの中から、どこかの電磁場とつながることによって、テレパシーを感じることになります。

Q 7 今いわれたことについて、私がどういうふうにしてそれを利用し、何を始めればいいか、ヒントはあるでしょうか?

バシャール すべての物質というものは、電磁場の中の振動によって起こっているということを、まず認識してください。ですから、人間の中の意識の部分のバランスを取るためには、たとえば音のようなものを使ってもいいかも知れません。その音を使って、理想的なバイブレーションのパターンというものが何であるかということを、ひとりひとりに思い出させるというふうな練習ができるのではないでしょうか。そうすれば、すべてのものが自動的にバランスが取れてくるはずです。わかりますか?

Q7 はい。

バシャール ですから、もしあなたがそうしたいと思えば、そういうことをやることができます。もちろんあなたがやりたいことを、やればいいのですが。

あなたの創造力をふんだんに使ってください。創造力というのが鍵なのです。

あなたの創造力の中に、あなたが本当にやりたいことが隠れています。

あなたの創造力は、あなたの中でいろいろな選択をすることができる図書館のような役割をしています。もし、何かやりたいと思ったら、自分はどうすれば一番貢献することができるか、自分はどうすれば最も簡単に世界の人々のために貢献できるか、ということを考えてください、創造力を使って。あなたの創造力に描かせてください。

創造力が鍵なのです。あなたの創造力が、あなたにとって一番よい方法を見せてくれます。でないと、それは他の人の方法になってしまいます。あなたが自分自身を百パーセント信じた時に、自分自身を本当に信頼できるのです。

Q 7 もうひとつ質問があるのですが、いいですか？
最近、終わりと始めがないコイルのようなものを使ってエネルギーを出すというものがあるのですが。

バシャール それは銅、または銀でできたものですか？

Q 7 材料は何でもいいと思うのですけれど、でもタキオンというエネルギーを出すみたいですね。

バシャール はい。タキオンは私達も知っています。

Q 7 彼らのやっている方法というのは正しいのでしょうか？

バシャール　正しいとか、正しくないとかいうことはまったくありません。

Q　7　私が聞きたかったのは、それが実際にタキオンのエネルギーを創造できるのかどうかということです。

バシャール　タキオンを創造することはできませんが、でも吸収することはできます。

Q　7　わかりました。それが私の聞きたかったことなのです。どうもありがとうございました。

バシャール　どういたしまして。

Q　8　こんばんは、バシャール。先日同じような質問をしたのですが。

バシャール　いいえ、同じ質問というのはありません。今日は違う日ですね。先日とはあなたも変わっているはずです。

だから、質問も違う質問になっているはずです。

Q８　我々地球人は大変パワフルだと思いますが、バシャールが今回地球に来ている理由のひとつというのは、我々がパワフルであるということを思い出させるためだと思うのです。なぜ地球人はこんなに怖れを持っているのでしょうか？

バシャール　どうしてかというと、あなた方は、今自分達の力を自制することができないと思っているからです。自分達の力が自分達を破壊すると思っているからです。あなた方は、あなた方自身が壊れやすい、危ういものだということを教えられてきました。あなた方は、あなた方自身の中の本当の力を怖れています。自分達を破壊してしまうのではないかと考えています。わかりますか？

Q８　そんなに大きな力を持ちたいとは思わないのですけれど。

バシャール　でも、あなた方が、すでに持っている、ということはどうすることもできません。あなた達は、自分達の持っているパワーを認識したくないということをいっているのです。あなた方ひとりひとりの中にはそれだけのパワーがあります。
あなた方は今そのパワーをもっともっと得ることを勉強しているのではなくて、
すでにあるものをどうやって引き出すかということを勉強しているのです。
あなたが創られた時に、すでにあなたは百パーセントのあなただったのです。そ
して、今でもあなたは百パーセントなのです。なにも怖れることはありません。
あなたはすでに百パーセントのあなたなのです。
あとは、あなたがどのようにそれを引き出してくるかということなのです。です
から何も怖れることはありません。怖れるとすれば、あなたは自分が持っている
以上の力があると信じたり望んだりした時でしかないでしょう。

Q 8 では、どうやったら自分達のパワーを思い出すことができるのでしょう。

バシャール 今一番ワクワクすることを、やることによってわかります。
興奮している時こそ、あなたが百パーセントエネルギーを使っている時なのです。
ワクワクできることというのが、本当の調和の道を見つける鍵となります。
みなさんは宇宙に対して「何かサインをください、何かヒントをください、我々

がどういう道を歩いていけばいいかヒントをください」といいます。宇宙はすでにそれを送っているのに、あなた方は気づかないのです。あなた方を興奮させるものが、あなた方のこれからの方向を見つける大切な鍵になります。
自分を信用してください。そうすれば、信じられないくらいの速さで、スムーズに物事が流れていくでしょう。しかし決して、あなた方がついて行けない程の速さになることはありません。宇宙はあなた方ができないことをあなた方にさせようとしません。
これまでの教育の中であなた方は、自分達にはできないことがあると教育されてきているかも知れませんが、本当はそういうことはまったくないのです。もし、自分のできる以上のエネルギーが送られていると感じたとしても、本当のあなた方ならできるから、エネルギーが入ってきているのであって、できないものを宇宙が与えることは、絶対にありません。信じるか信じないかはあなた方自身の選択です。

Q8 では、ワクワクすることをやればいいのですね。

バシャール そうです。あなたがワクワクすることをやればいいのです。

本当にワクワクすることをやればいいのです。

Q 8 そうしたら、私は私自身を愛せるようになるのでしょうか?

バシャール 自分がワクワクすることができるということは、愛の行動です。自分を愛しているからこそ、そういうことができるようになります。宇宙は愛です。あなたは愛です。ワクワクすることによってあなたは無償の愛を経験し、それをまわりに広めることができます。行動です。行動してください。何かをやってください。生きてください。

Q 8 どうもありがとう。

バシャール どういたしまして。私は何もしていません。

Q 9 バシャール、あなたを愛しています。

バシャール　我々もあなた方を愛しています。

Q　9　エササニではキスをするのですか？

バシャール　物質的なキスというものは、ありません。
まあ、あなた方の言葉でいえば、エネルギーキスというようなものでしょうか。

Q　9　どんな味がするのですか？

バシャール　大変おいしいものです（笑）
ちょっと説明させてください。我々の世界の二人のエネルギーが、お互いに強く集中されてきた時に、白い閃光が起こります。それがエネルギーキスです。お互いがエネルギーを放出してそれを感じとるということです。それが我々の愛情表現です。大変短いように思われますが、実際は非常に大きなエネルギーなのです。そのエネルギーの閃光は相当強く、みなが見ることができます。わかりますか？

Q　9　はい。では、エササニでも家族、たとえば妻と夫というのはあるのでしょうか？

バシャール　地球でいうような家族構成ではありません。

我々はみんなが魂でつながっていますから、すべて全体が家族というような感じになっています。我々はテレパシーでつながっています。たとえ誰がどこに行っても、必ずみんなとつながっているのです。ひとりも離れている人はいません。

我々には、地球でいう家族構成のようなものがありません。我々はみんな一緒で、家族という感じを持っています。生まれた時にみんなと結婚しているという状態ですね。ひとりがひとりひとりに対して絶対的な誠実さで接しているという状態です。

Q　9　我々もあなた方のようになることができるのですか？

バシャール　もしあなた方が望むならばそうなります。地球は今、私達の現在の状態にむかって進んでいます。ですから私達は、よくあなた方の未来の姿だといってきています。いろいろな面において、私達はあなた方の未来のモデルに値します。これから二百～三百年後ぐらいの。

Q9　それはうれしいことです。もうひとつ質問していいですか？

バシャール　もちろんどうぞ。

Q9　チャネルの方々が大変な地殻変動、地球上でいろいろな変化が起きると予測しているのですが。

バシャール　変化は起こりますが、それが破壊的であるとは限りません。破壊的なことが起こるのが避けられないと考えている所では、破壊的なことが起きるでしょう。しかし、地球ではすでに破壊的なものを避ける努力がなされています。もし三十年前にこの変革が起こっていれば、大変なことになっていたでしょう。しかし、この三十年間の間だけでもかなりのものが変わってきています。それによって破壊的なことが起こる可能性が小さくなってきています。

Q9　あなたは人の未来を見通すことができますか？

バシャール　可能性という観点から見ることはできます。というのは、すでに心を決めてはいるけれど、まだ何もスタートしていなければ、どんな未来が可能なのかを見ることができないからです。

Q 9 自分が創り出せる未来には、いくつもの可能性があることは知っています。でも、結果的に自分が実際に生きることができる未来はひとつだけでしょう？

バシャール 今、あなたはここにいますね。でも、いくつもの未来が並行して同時進行しているので、ここにいるあなたはひとつの可能性としての未来を生きますが、他のあなたは他の次元の他の未来を生きるのです。

Q 9 では、具体的な例をお話したいのですが。実は私はずっと昔から作家になりたいと思っていたのです。そのことを考えると、とってもワクワクした気持ちになって、何か書けるのではないかと思うのですが、でも、いざとなると最後までやり通すことができないような気がしてくるのです。私は本を書けるようになるのでしょうか？

バシャール　すべてあなた次第です。どうやったらそれがわかるのでしょう。これはとても重要なことですが、あなたは本を書くことを考えているとワクワクするといいましたね。これがキーです。あなたがその現実にとても強くひかれているということだからです。でなければそのような気持ちの高揚はありません。他のことに興味を持つはずです。自分の気持ちがワクワクする対象が今のあなたの人生ではポイントなのです。問題はなぜ躊躇するかということです。

あなたに聞きたいのですが、あなたは何を想像しますか？　何を思い描きますか？　どんな情景やビジョンが出ますか？　あなたが書いている時ですよ。

正直に答えてください。本を書くと何が起こるのでしょう。そういう生活を望んでいますか？　あなたはそのような生活を送るだけの資格が自分にはあると思っていますか？　あなたは成功する値打ちのある人間ですか？

あなたが心の奥で思っていることを解き放ってください。つらいかも知れませんが、それを話してくだされば、どうしてそう思っているのか明らかにすることができます。

Q9　答えなくてはいけませんか？

バシャール ええ。でもいやならいいですけれど——。
話してくだされればお役に立てると思います。

Q 9 時々思うのですが、作家はあまり幸福な人生を送っているようには思えないのです。

バシャール だけど、あなたは自分が幸福になりたいと知っていますね。他の人が本を書いて不幸な人生を送っているとして、それがあなたと何か関係があるのでしょうか?

Q 9 たぶん、全然関係ないと思います。

バシャール そうです。あなたはあなたなのですから。
誰もあなたになることなんてできません。あなたはあなたのやり方で、他の人がやったことのない方法でやればいいのです。あなたが本を書いて幸福になりたいなら、そうなったらいいのです。他の人が同じことをして不幸になって、それであなたが不幸にならなければいけない理屈なんてありません。

基本型など存在しません。落とし穴もありません。人はあなたのことを「あー作家ね。あやつり人形だよ」とか「大作家、みじめなもんだよ」「ベストセラー作家、悩みが多いんだろうね」というかも知れませんが、どんな作家になるかは、あなた自身が決めるのです。

また、この文明では作家という職業に対して、あるとても〝魅力的な思い込み〟が存在しています。創作の壁というやつです。

壁。なんて魅力的な言葉でしょう。壁っていったいなんでしょうか。それは自分が進んで行く、今まで思ってもいなかった道のことです。それは本当は壁でもないし、堀でもありません。でも今まですっと真っすぐだった道が突然方向転換するのです。しばらくの間、茫然として壁に貼ってある「左へ」という標識を見つめていることになるかも知れません。なんて大きな壁に突き当たったんだろうと思うでしょう。でも壁なんてないのです。

あなたはただ、「左へ」という標識通りに首を曲げてその方向を見てその標識を信じて実際にその方向へまっすぐに進むべきなのです。もし「イヤイヤこんなほうへは行きたくないんだ。何があったって壁に向かって突き進むのだ」と思うならば、その壁をよく調べてみてください。壁を形成しているものは、あなたがその時点で見る必要があるものなのです。あなたがあなたらしくあるために必要なものを示してくれているのです。

調べるのです。それを排除しようとしたり、避けようとしたりせずに、その中へ入って行ってみてください。

その時、壁は消えてしまうでしょう。あなたがその中へ中へと入って、壁の原料のひとつひとつをよく見れば、それはもう壁でなくなっているでしょう。

壁というのは、あなたが見たくないもの、あなた自身の中にあるけれども自分では知りたくないもの、あるいは、これは自分のためにならないと思っているものです。でも、宇宙があなたのためにならないものを見せるはずがないのです。あなたの人生に存在するすべてのものは、あなたの先入観念が生み出しているのです。あなたがそれを必要だから、あなたがそれを明らかにしたいので、それは、その時そこにあるのです。

でもなにかを変えたいと思うならば、まずそれを手に取ってください。拒否することもできますが、そうするとなにも変えることができないでしょう。拒否しているものを受け入れてください。そうすれば恐れはなくなります。受け入れたとたんに、それは消滅します。そして、あなたは以前にも増して、早く成長することができます。あなたが見た通りを書いてください。それはひとつのチャネリングです。
チャネリングの中にはあなたのやりたいことが全部あるのではないですか？
それこそチャネリングです。あなた自身をあふれ出させてください。あなたのプリズムを通してあなたの現実の中で爆発させてみてください。書くことはいろいろなものを与えてくれるでしょう。この答でいいでしょうか？

Q 9 はい、もうひとつ尋ねたいことがあるのですが。
将来、チャネルを通じて私達に語りかける存在の数は増えていくのでしょうか？

バシャール そうは思えません。一時的にそういうことはあるかも知れませんが、私がこの仕事をしているのは「時代遅れ」になるためなのです。私が今、これをしているのは、あなた方が、私を必要としなくなるためなのです。あなた方が自分でチャネルできるようにするためなのです。
私が今ここにいるのは、答がすでにあなた方の内にあることを知らせるためで、私がこの仕事をしなくてもすむようにしているのです。そうすれば、私達はあなた方社会と対等に付き合えるようになるのです。

しばらくの間チャネリングは増加するでしょう。もっと多くの人がもっと多くの意識のレベルに気づくようになるでしょう。接点はもっと増えるでしょう。そしてある時点から急激に減少します。自分で自分を導き、自分本来のパワーを取り戻し、確信を持って人生を生きられるようになったら、あなた方は私達と今のような方法で交信する必要はなくなります。私達は同等になるのです。

あなた方は自分自身の可能性、自分自身の大いなる自己（ハイアーセルフ）とチャネルできるようになります。もう、ひき離された存在でなくなるのです。もちろん、逆説的には、多くの引き離された存在さえもあなた方自身なのです。私達はひとりひとりの人格がありますが、あるレベルではみんなが「同一」なのです。みんなはひとつの同じ意識なのです。

Q　9

将来、今この部屋にいるものの中から、このチャネルを使う人間が出てきますか？

バシャール

すでに使っている人がいますし、意識しないでそうしている人もいます。人数が増える可能性はあります。でも何度もいうようですが、選択権はいつもあなた方の方にあるのです。コンタクトしたいと思えばできるようになります。覚えておいて欲しいことは、そのようなチャネルはあなた方のために何かをする目的で創られたのではないということです。あなた方が自分白身の可能性へチャネルできるまでの過渡的なものなのです。あなた方自身のパワーを取り戻す手助けをしているのです。お望みならそのことを本に書いてもいいんですよ。振動をする光のことを書いてください。あなたはその光を生きているのです。

Q 10 夢のことについてお聞きしたいのです。どんな意味があるのでしょう。夢判断とか。

バシャール とても意味があります。夢の中であなたが創り出している事や物にあなた自身がどんな意味を与えているかを知る手がかりになります。そういったものに対するあなたの感じ方とか、それをどう処理しようとしているのか、自分がどんな人間だと思っているか等々。つまり、自分自身への洞察を深めるのに役に立っているわけです。しかし、どうして夢を見るのかについてはいくつかの理由があります。

まず、現実の世界で体験することを前もって夢の中で体験する。現実の世界を自然に生きるために、プランの予行演習をしているのです。

夢で先にやってから現実でもう一度やってみるのです。それがデジャビュと呼ばれているものです。夢で意識的にやっていたことを現実では無意識的にやっているのです。そのプランを現実にやりとげた時に記憶が戻ってきます。これがデジャビュ。

デジャビュが起こるのと同じ理由で、夢を思い出したくないという場合もあります。

夢の投影についてなのですが、夢の中の体験と現実での体験はつながっているのです。それはひとつの意識レベルの拡張した形なのですから。だから夢が現実で、現実が夢なのだということもできます。

今、この場所でみなさんは夢を見ているのです。みなさんの夢と、今この現実の間は、ひとつのことを除けば何ら違いはないのです。そのひとつとは、みなさんがこの現実に、より強くひかれていて、ここでの体験を確かなものにしようと決めていることです。

夢には限りがないし、話の焦点だってボケているので、夢は現実的ではないと思うかも知れません。でも夢の中の方がもっと本当の自分に気づいて、いろいろな可能性について知っていて、自由に振る舞っているのです。だから、夢のあなたが本当のあなたで、本当のあなたが夢のあなたということかも知れません。

さて、二つの現実を統合してみましょう。夢を見ないという人もいますが、そういう人は夢からさめていないのです。夢の中で生きているのです。

あなた方の中で目覚めた時、夢を覚えているという経験をした人がいるでしょう。夢と現実を結んでみてください。自分の内面ではその結び方を知っているはずなのです。夢のシンボルを与えてみてください。夢の中で何かをしていたのです。

夢の中には、象徴されたあなたの人生があるのです。時には夢は非常に象徴的であり、時には実際的です。夢が象徴的なのは、夢の中では可能性がたくさんあるので、現実の社会の現実を持ち込む必要がないからです。

現実の社会であなたが目覚めた時、あなたの現実的思考が夢の中の経験を、現実のどんな現象にあてはめると一番適切なのか選んで知らせるのです。そうすると、あなたは夢の意味がわかってきます。

あなたの夢が何だかわけがわからないという場合は、それを説明する適切な言葉をあなたの体験の中から（あなたの思考はあなたの体験した引き出しの中から言葉を選んでいるのです）見つけ出すことができない時です。でも、二つの現実を統合してみれば、いつも夢の中にいる、あるいはいつも現実の中にいるのと同じことですから、もう二つを結ぶ架け橋は必要ないのです。

あなたが思い出せば夢はそこにあります。夢は、あなたのいろいろなレベルでの意識と通信する一番有効な手段です。夢はあなたが何をして、今どんな段階にいて、何を学んでいて、自分をどう見ているのか、一番わかりやすい方法で知らせてくれます。

つまり、あなたは夢の中ではすべてのものであり、すべての環境なのです。

目覚めた時には、まず座って落ち着いて、自信を持って静かに深く考えてください。今の夢は何を意味していたのかと。人物や物や環境や感情を思い出して、夢を始めから繰り返してください。そして「今、私は夢の中に出てきた椅子である」と仮定し、「椅子として、私が私自身に伝えたかったことは？」と考えてください。

あなたは答を得るでしょう。この方法は練習すればすぐに慣れると思います。

「私は愛である」とか、「私は怒りである」「私はある人物」「私は雲、草、海・・・」になって自分と話してみるのです。

きっとわかるようになります。

Q10　夢を見ている時は、他の次元へ行ってしまっているのでしょうか?

バシャール　夢を見る理由というのは、日常であなたが切り離されている「残りの自分」とひとつになることなのです。いくつものレベルで切り離されている意識を統合することができれば、私達のように睡眠時間を短縮することになるでしょう。

一般には、夢は意識的生活と意識的につながろうとする試みです。そのつながりにもっと意識的になれば、夢の中でもっと有効に行動することができるでしょう。常に夢の現実と連携していることができ、もはや夢とつながるために無意識になる必要はなくなります(夢のなかでは、本当に自分がやりたいことをやっている。そのことをバシャールは「意識的生活」と呼んでいる。それと起きているときの日常生活を意識してつなげば、もはや、あえて寝て夢を見る必要はなくなる)。

Q10　私はたぶん、人より多く夢に関しては統合されているので、長い睡眠時間は必要としないのですが、どうやって時間をつぶしたらよいのかわからないのです。ベッドに寝ていなくてはなりませんか?

バシャール あなたは生活の中で一番やりたいことをやっていますか?

Q10 えーっと、はい。

バシャール 「えーっと、はい」ね。本当に?

Q10 自分がそうしていることに自信はあるのですが、もっと他のこともしたいのです。

バシャール それが答です。他にやることがあるんでしょう。

Q10 でも、私が何かやりたい時は他の人が寝ている時ですから、一緒にそれをしてくれる相手がいないのです。

バシャール もう、あなたは自分の生活のパターンというものがわかっているので、同じパターンを持っている人をひきつけるようになるはずです。

生物学的な自然なサイクルでは、地球の時間で午前二時~四時が最も活動的になれる時間帯で、午後二時~四時に最も休息を必要とするのですが、あなた方の社会はこの自然なサイクルの反対をやっているのです。一番エネルギーが低下している時に起きていなければいけなくて、一番高揚する時に寝なくてはいけないようになっているのです。だから体がそれに一致しないで夜中に目が覚める習慣ができたりすると、不眠症だと騒ぐのです。でもそれは病気でも何でもなくて、体が自然のサイクルに従って機能するようになっただけなのです。

体はリフレッシュされて、感覚は研ぎすまされ、統合され、目覚め、立ち上がって、エネルギーを使っているのです。自然のサイクルなのです。それはゆっくりした速度で進行するかも知れませんが、好奇心を忘れないでください。心がワクワクすることをやりなさい。

何でもできることをやりなさい。あなたがその気になれば、地球上ではいろいろな人、いろいろなレベルの意識が二十四時間いつでもコンタクトできる状態にあるのです。直感、想像力を駆使して考えられるあらゆる可能性を探ってみてください。

Q 11

あなたの惑星では、個人の創造は一瞬の内に完了するということですが、それは私達にもできますか?

バシャール　あなたはすでに一瞬の内に創造しているのです。

Q 11　意識的に？

バシャール　いつもそうとは限りません。でもいつも一瞬の内に創造しているのです。
あなたの人生はどこか途切れた箇所がありますか？

Q 11　いいえ。

バシャール　では、創造はいつも起こっているのです。瞬間ごとにあなた自身は新しく創造されているのです。とすると、人生や時間はあなた方の言葉でいう「連続したもの」ではないということになります。膨大な数の再生なのです。
あなたはいつも自分の意識や気づきをもとにして、自分が望む方向に進んで行けるよう自分自身を再生しているのです。
さて、社会のエネルギーとのタイミングなのですが、あなた方の社会にはいまだにわずかな時間のズレがあります。あなた方の、時間という観念に対する信仰みたいなものが非常に強いからです。

それはそれでいいのです。時間のズレはある意味では必要なのです。でも、あなたが本当に心の底からエクスタシーに達したいならば、ほとんどのことは、地球の時間にして三日から三週間の内に明らかになるでしょう。

その程度の時間というのは、あなた方の社会で、他の人があなたとコンタクトしようとするのに必要な期間です。もし、事がそのように運ばないとしたら、それはあなたが愛のために行動していないからです。

あなたが自分の人生に起こって欲しいと思うほとんどのことは、少なくとも三日の内に起こります。その他いろいろ潜在的に望んでいる変化が起こるのには三週間程度かかるでしょう。それを起こそうとしなくとも、ただ起こるのを受け入れればいいのです。望んでいる変化にエネルギーを注いで、そのように行動するなら、それはあなたの人生に起こります。

その時には気持ちの高揚が伴っているでしょう。気持ちの高揚はさらに多くの場面での気持ちの高揚につながっているのです。

あなたの気持ちに従ってください。その時の状況があなたの望んでいることと関係ないように見えたとしても、そのワクワクした気分があなたを導いていくキーなのです。いつかは望んだ所まで行けるはずです。

それをやることを戸惑うかもしれません。それはあなたの欲しいものに見えないかも知れません。でもそれは愛なのです。何かに対して気持ちがワクワクすると感じたら、それはあなたの望んでいるものにつながっています。それに従ってください。あなたは欲しいものを手に入れるでしょう。

Q 11　あなたは、地球に生まれたことがありますか？

バシャール　一度あります。あなたの前にいるチャネルとして肉体を持って生まれたことがあります。彼は私の過去世です。私は自分の来世のチャネルなのです。

説明すると、私は過去、あなたが見ている肉体を持って生まれましたが、肉体的に死んで、未来の私として私の世界に転生しました。

そこでは私は時間の中を移動することができるので、私の過去を通してあなた方と話せるのです。時間の中で現実の世界が存在しているとしても、時間とはすべて虚構なのです。

すべての人生は今、同時に存在し、進行しているのです。あなた方の時間とは一本の線のようなものですが、私はあなた方が未来と呼ぶ次元の振動の中にいるのです。だから、私は自分の来世にチャネルしているのです。あなたの目の前の私の過去世は、私が地球にいた唯一の過去世です。彼には彼の過去世があるでしょうが、それは今問題ではありません。私が今ここにいるのは、私が今していることをするためです。

私達はひとつのオーバーソウル、ひとつの同じ意識から出たものなのです。時間を一本の線として考えているあなた方とチャネルすることを考えると、私の過去世は、私のような考え方を学ばせるためだったのでしょう。私自身そのような体験がなければ、私はあなた方にとってあまりにエイリアンであり、あなた方も私にとってはあまりにもエイリアンと映ってしまうでしょう。私達は今話しているように話せなかったと思います。

Q11 ということは、あなたの惑星が以前地球だったということですか？

バシャール そういう意味ではないのです。そんなに文字通り未来というわけではありません。

地球には地球の、未来の姿があります。エササニがそれではありません。でもエササニが、いろいろな次元での未来の姿といえるかも知れませんが、すべての要素も含めた意味での地球の未来そのものということではありません。
高密度とかエネルギーの概念とかまで言及すると話が込み入ってくるので、ここではただ、このチャネルの肉体が私の過去世で、この過去世が私が地球で生活した唯一の体験だということを心に留めておいてください。他に質問は？

Q11 私はあなたの惑星を意識的に訪れることができますか？

バシャール 夢の中でなら今すぐにでもできます。いつかは肉体を伴って訪れることができるでしょう。今はその時代ではありません。その時は、人に頼らないで自分自身でやらなくては。

Q11 でも、夢の中でなら意識的に訪れることができるのですね。

バシャール そうです。夢の中では、すでに多くの人が私達の星に来ているのです。

ここにいるあなた方の振動は、私達にとってなつかしいものであるし、私達の振動はあなた方にとってなつかしいものなのです。夢の中のいろいろな場所で「一度来たことがある」と感じるでしょう。あなたは現実での体験を夢の中で強化しているのです。私達の多くは、将来のあなた方、あなた方の来世なのです。これが私達とあなた方の直接的なつながりです。

Q 12 世界の成長とか変革について、うかがいたいのですが。

バシャール 今の世界で起こっていることは、不確実性の最後の名残り、否定的要素の最後の名残り、混乱の最後の名残りです。今こそ地球のシステムから、すべての否定的要素を取り除いて宇宙に放出する時なのです。そしてみんなが自分自身のあるがままの姿を見て、自分が本当に望んでいる自分自身になります。今、大きな変革の真っ只中にいるのです。

Q 12 何だかひどく、まともじゃないように聞こえますが・・・。

バシャール　そうですね。あなたの表現ではそうなるでしょうね。でも「まとも」は「無知」と同じことでもあるのですけれど・・・・・。

Q12　エササニの話を聞くと、完璧な理想像という気がしますが・・・。

バシャール　すべての現実は完璧です。あなた方は不完全ではないのです。あなた方が私達の示したエササニというモデルを好むなら、今から始めてください。そのモデルをあなた方が選んだのですから。選択権はいつもあなた方にあるのです。今、地球的な規模でエネルギーがその方向に進んでいます。地球には地球のやり方があるはずですから、私達とまるで同じ方法を取る必要はありません。でも、私達というモデルがあるのですから、これを利用して学習してください。そしてモデルが実在しているということは、あなた方にもそれができるということです。

Q12　私は完璧という言葉は、創造、幸福、喜びという意味だと思っていたのですが、理想でもあることを知りました。エササニはこれ以上進歩するのですか?

もっと上の段階があるのですか？

バシャール　地球はこれから「第三密度」から「第四密度」へ移行するのですが、私達は「第四密度」から「第五密度」へと移行します。私達は非肉体的になりつつあります。「第四密度」は、肉体的及び非肉体的意識を体験できる最終段階で、これより上の段階では非肉体的になります。エササニでは、みんなが同時に非肉体へと存在の形態を変えていきつつあります。エササニと地球ともうひとつの他の社会は「三つで一組」になっていて、もうすぐ位置の交換が起こります。私達があなた方にしていることを、あなた方が他の存在に対してするようになります。あなた達がＵＦＯの立場になるでしょう。

Q12　それはいつのことですか？

バシャール　限りなく、永遠にです。途絶える時なく、変化する時なく、発見する時なく永遠に、全方向的に、内に向けて、同時に外に向かって。

Q12 労働と遊びとか、いろいろなことは逆説的に思えるのですが。

バシャール 二つは同じことなのです。大いなる自己と話してください。大いなる自己にとっては逆説は統合された同一のものなのです。対立する二つのものを見始めた時は、あなたの中でさまざまな振動がひとつになるのを知る時なのです。

Q12 それが目覚めの方法ですか? 働くということですか? 私は目覚めの時、座ってその回路が開くようにしているのですが。

バシャール それでも間違いではありません。でも前にも話したように、私達の勧める方法は、気分がワクワクすることをしなさいということです。今、この時を生きているのですから、何かが来るのを待っていることはありません。忍耐は必要ないし、今、この時をエンジョイすればよいのです。今を楽しんでいれば、時間の観念にとらわれる必要はありません。
未来に生きていたりしたのでは、何も見出せないでしょう。望むものは今、与えられます。あれやこれや、心を悩ませないでください。あなたに必要なものは、永遠の時間の中からあなたを見つけてくれますから心配しないでください。あなたは今にいるのです。百パーセント今を楽しんでください。あなたが楽しんでいる時、「時間が飛んでいく」と思うかもしれませんが、そうではありません。あなたが百パーセント流れに従っていれば、あなたが十五分経過したと感じる時、それが現実の世界で一時間半たっていたとしても、あなたにとっては一時間半ではありません。あなたは、あなたの感じた十五分だけしか年を取っていないのです。今を生きていれば、あなたは老いからも時間からも縛られることはないのです。逆説的なのですが、それがあなたの人生を拡大する方法です。さまざまな場面であなたは「どのようにして」という問いを発するでしょう。すべての場面にあてはまる答は、今を生きることです。

Q 12 私の子供にどのようにして「自分の気持ちに従って生きること」を教えたらよいでしょうか？

バシャール 子供達はその方法をもう知っています。

Q12　確かにそうです。しかし彼らがそうしようとする時、障害が起こります。

バシャール　それはわかります。でも、あなた方の社会は今変化しています。ある意味であなた方の社会は大変硬直した仕組みを持っているので、子供達は自分が学ぶべきことに興味が湧かないかも知れません。社会のあり方を変えるか、あなた自身が子供に興味を湧かせるように助けてあげることですね。互いに強制しあうのではなく、互いに興味が持てるような仕組みにするのです。

Q13　私達は「不老」になるということですが、死を超越することができますか？

バシャール　死は、ひとつの変化です。ある意味では、ワクワクする体験です。でも実際には同じ家のひとつの部屋から他の部屋へ移ったという程度の変化です。もうひとつのものの見方やもうひとつの考え方を知るのは、ワクワクしますね。そういったものです。

Q13　もし、時間が存在しないなら。

バシャール　時間は存在します。あなた方にとって、時間は存在します。あなた方が時間を創っているからです。それは現実のものです。「時間が現実ではない」とはいっていませんん。時間は、あなた方が考えているよりはもっと柔軟なものだということです。

Q13　人は死んだ後も時間を創り続けるのですか？

バシャール　肉体がなくなると、それ程の時間は創りません。だいたいそれが肉体と非肉体の違いのようなものですから。でも、時間の切れ端みたいなものがあることはあるのですが、そこでは時間は行ったり来たり、交換したり混合したり、いろいろな形態を取るので、この世での時間の観念のような決まった形はないのです。
あなたの感覚が一本の帯みたいなものだと思ってください。この帯には映画のフィルムみたいにたくさんの枠があります。時間の中にいるのはこの枠の中のひとつにいることです。そしてあなたは、枠から枠へと移動します。この時、あなたには自分のいる枠以外の枠はよく見えません。孤立しているわけです。でも肉体を持たなくなると一本のフィルム全体が見渡せるようになるのです。そうなると、枠はあまり問題ではないのです。フィルムのひとつの枠の中にいる登場人物は他の枠のことはわかりません。それが現実です。

Q 13 私達は永遠に創造し続けるわけですが、何が創造を始めさせたのでしょうか？

バシャール 創造は存在そのものです。何かがそれを始めたのではありません。もちろん線状になった時間を生きているあなた方には、「前」はどうなっていたんだという疑問があるでしょうが、「前」はないのです。存在は存在している、それだけです。他に答はありません。

Q 13 私達の社会に目的はあるのですか？

バシャール あなたの考えるような目的はないといえるでしょう。目的という考え方は、存在が創り出したものだからです。存在は目的という概念の前からすでに存在していたので、目的を必要としない存在でいるのです。目的は存在があるがままに存在することです。わかりにくいかも知れませんが、存在とはそのように単純なものなのです。

Q13　「意味」はどのように求めればよいのでしょうか？

バシャール　あなたは「意味」を求める必要はないのです。あなたが意味を与えるのです。あなたは創造主と共同で創造しているのですから、あなたの仕事は意味を与えることです。意味を引き出すことではありません。すべての創造物は中立なのです。もともとの意味などないのです。これに意味を与えるのはあなたのクリエーターとしての自由意志を使う練習でもあります。

もちろん意味はあなたの経験から引き出されるでしょう。肯定的な意味を与えれば、肯定的な結果があるでしょうし、否定的な意味を与えれば否定的な結果があるでしょう。すべてはあなたの心から出てくるものです。けれどもすべてのものは元来、中立なのです。存在そのものは中立です。聖書にあるでしょう。人間が創造されたのは、すべてのものに名前を付けるためだと。

あなたは創造主なのです。

Q 13 聖書のことなのですが、その「前」はどうなっていたのですか？

バシャール 答を今質問されている内容だけに絞ります。あなた方の集合意識の中で、歴史的にあなた方はもともと地球で生まれたのではないのです。地球に来る前には、いろいろな文明、いろいろな星、いろいろな次元等を経験しました。

歴史のある時点では、本来のファミリーから離れたグループもありました。もう片方のグループがあなた方です。ある環境を創り上げました。そこでは、否定的な意味づけを選びました。それゆえに神は創造と関係しているのです。そして物質的な価値観を採用し、そのため自分が誰だったのか忘れるというサイクルが始まったのです。直接的、意識的に自分が創造に参加していたことは思い出せないのです。それが「前」にあったことです。

でも、今は目覚めの時です。あなたは無限です。それを思い出す時なのです。だから今、振動のレベルが高まっているのです。地球上に地獄ではなく、天国を創り出すのです。地獄も天国も心の状態にすぎません。悪魔はあなた方の否定的な集合意識の表現です。地獄はすべての否定的な制限された意識が創り上げるものです。あなた方は天使なのです。天国を創ってください。

Q　13　どうして私達はそうすることを選んだのですか？

バシャール　この地球の歴史は、あなた方が創造を経験するためのものだったといえます。非常に制限された世界に生きてきたので、多くのことを学べたのです。あなた方の制限された世界についての経験は、他のどの惑星の存在にも引けを取りません。限定はそれを抜け出すために存在するのです。今がその時です。

Q　13　今の変革と同じようなことはあったのですか？

バシャール　アトランティスの時代がこの全部を小規模に行った例です。始めに全部があって、忘れ、分裂し、破壊がありました。今あなた方の経験する限定や否定的なものは、この時の破壊から来ています。あなた方の多くはアトランティスから転生しているのです。今、その時の役目を果たすためにこの世にいます。世界は統合に向けて動いているのです。

Q　13　今の世界を見ていると、統合が近いようには見えないのですが。

バシャール 近いのです。私がそういったでしょう。あなた方の気づきが起こっているのですから。一本のゴムヒモの先端が肯定的世界で片端が否定的世界だと思ってください。それで否定の方へ引っ張れるだけ引っ張って手を離すと、その端はものすごい速さで肯定的な方へ飛んで行くでしょう。極限まで行っていれば変革は一瞬の内に完了します。あなたがそれをやるのです。

Q14 あなた達の社会との接触がもっと拡大すると、お互いの政府同士が接触するようなことになりますか？　あなた達には政府というものがありますか？

バシャール 同じようなもので、私達は再教育といっていますが、それをまとめる組織はあります。研究所がありますが、それは私達のために何かをするのであって私達が何かをさせるものではありません。

Q14 私達の政府に、それに対応する組織はありますか？

バシャール あなた方の政府に変革を追求している組織があります。ゆっくりではありますが変化は起こっています。数年の内に速度はもっと速まるでしょう。

Q14　目覚めが進むと睡眠は短くなるといわれましたが。

バシャール　いろいろなレベルでのつながりを、より安定した状態で長く保つことができるようになれば睡眠は短縮されます。

Q14　夢の中で行動できるようになれますか？

バシャール　はい。眠りに入る前にリラックスして、「夢の中にいる時はこれが夢だとわかるのだ」と自分にいい聞かせれば、夢の中でもいろいろなことに気づくことができるので、これは自分がつくっているのだとわかります。夢はあなたの現実の投影なのです。夢の中で目覚める時、夢を見ていたと知ることになるので、現実の世界でも大きな変化が起こります。現実に限りはないのです。

さて、エイリアンとの接触についてもう少し話したいと思います。

私達にとっては地球はとても異質（エイリアン）な社会に見えます。でも私達とあなた方はみんな同じ魂を持っています。それゆえ異質な社会と交信することはとても素晴らしいことです。夢の中では互いに接触し合っているのです。夢の中では心で話してください。あるいはテレパシーで。

彼らを愛してください。恐れないでください。彼らを認識してください。そうすると、波動が同調するので同じように思考できます。心を読むのとは少し違います。同じ波の上にいるので同じように思考を創り出せるのです。地球でテレパシーが最も強く現れる形は愛し合っている人間同士です。同じように思考できるので、互いに認め合っているので、愛し合っているので、相手の思っていることがわかるのです。

最後にこのような機会を持てたことを感謝します。あなた方の意識をありがとう。それによって私達の意識も拡大するのです。私達のエネルギーがあなた方の夢の現実をより楽しいものにしますように。

目覚めて、あなたの夢を生きてください。望む夢を夢見てください。それがあなた方の未来です。あなた方の姿は喜びなのです。信じることです。それを生きてください。

私達はいつもそばにいます。

私達の夢の一部を、一緒に過ごしてくれてありがとう。

BASHAR　バシャール　ペーパーバック①

2002年 11月 26日　第1版第1刷　　　　発行
2024年 7月 8日　第2版第20刷（計21刷）発行

著　　者　　ダリル・アンカ
通　　訳　　関野直行
装　　幀　　芦澤泰偉
発 行 者　　大森浩司
発 行 所　　株式会社ヴォイス
〒106-0031　東京都港区西麻布3-24-17　広瀬ビル
☎03-5474-5777（代表）
📠03-5411-1939
www.voice-inc.co.jp

印刷・製本　　株式会社 光邦

ISBN978-4-89976-034-4　Printed in Japan